Editeur : LULU.com

ISBN : 978-2-9565387-4-5

Dépôt légal : juillet 2019

Photos de l'auteur, toutes les autres sont libres de droits.

DES SUISSES
AU
" FAR WEST "

René-Pierre DUC

L'Amérique, c'est comme la vie. On découvre tout ce que l'on cherche. J'y suis allé pour l'émotion et l'aventure. Je n'ai jamais été déçu, j'en ai trouvé bien assez des deux !

1

INTRODUCTION

Le premier Suisse connu à avoir foulé le sol de l'actuel territoire des Etats-Unis d'Amérique s'appelait " *Théobald von Erlach* " et était originaire de Thurgovie.

En 1565, à l'âge de vingt-cinq ans, il embarque en se joignant à une tentative de la France pour établir une colonie en Amérique du nord. Avant d'atteindre les côtes, le navire est pris dans un ouragan et fait naufrage. Théobald et quelques autres survivants arrivent à rejoindre la rive où ils sont massacrés par des soldats Espagnols qui essaient de créer une tête de pont en Amérique.

USA

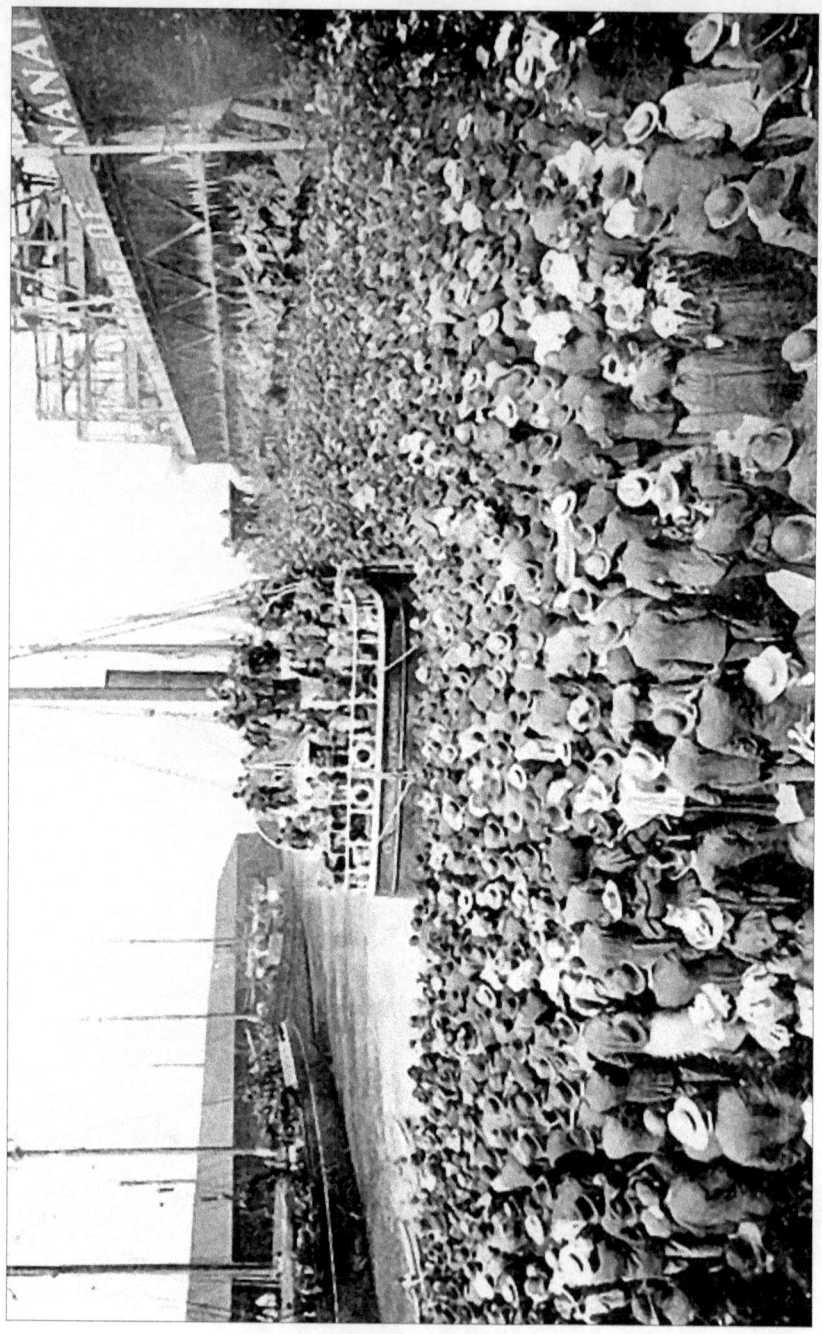

Pendant un siècle, de 1850 à 1950, environ 300.000 Suisses émigrent aux Etats-Unis à raison de 3.000 par année. Ils vont créer en Amérique « la cinquième Suisse ».

Faisant preuve d'un esprit de pionnier, la majorité va partir vers l'Ouest, suivant l'avancement de la « frontière » car il ne s'agit pas d'aller transplanter notre culture helvétique sur le sol américain, mais de tenter une expérience dans de nouvelles conditions.

Les Suisses s'intègrent facilement à la démocratie américaine, où ils retrouvent le sens de la chose publique. Aux Etats-Unis, l'image de la Suisse est considérée comme l'exemple de la démocratie en Europe.

Les autorités locales donnaient ce conseil aux colons qui s'établissaient dans l'Ouest :

« Ne jamais choisir un endroit où il n'y a pas de Suisses »

2

GALLATIN

La vie d'Albert Gallatin (1761-1849) va être digne d'un roman d'aventures. Il se sent à l'étroit en Suisse, il rêve de liberté et de grands espaces loin du microcosme genevois. Soif de liberté ? Irrésistible curiosité ?
Difficile à dire ! Quand un Suisse s'expatrie, il essuie toujours des regards critiques. Le 1er avril 1780, à l'âge de 19 ans, presque sans un sou en poche, il s'embarque pour l'Amérique à bord du « *Katie* ».

Gallatin débarque à New-York le 15 juillet en pleine guerre d'indépendance et rêve d'explorer les immenses espaces inconnus et sauvages de l'Ouest du pays.

Pendant les premières années, il va vivre comme un authentique homme de la Frontière. Il dort à la belle étoile, abat les arbres comme un bûcheron, entaille les troncs pour construire sa « *cabin* » de pionnier dans le jeune état de Pennsylvanie. Une région encore sauvage, aux confins des terres connues.

Il explore, arpente, défriche, chasse pour se nourrir, devient trappeur avec pour seuls voisins des tribus indiennes.

Et c'est en terre indienne qu'il échappe de justesse à une confrontation sanglante en s'enfuyant à pied sur deux cents kilomètres. Puis, comme il y a du charbon dans le coin, il se fait mineur et crée la première manufacture de verre à l'ouest des montagnes Appalaches.

Dix ans d'efforts gigantesques au contact de la « Frontière », la lisière où le monde civilisé touche un monde sauvage, immense, un monde à conquérir.

Sans en avoir vraiment le physique, Gallatin est déjà un vrai pionnier ! Il a construit sa maison sur une hauteur dominant la rivière Monongahela et baptise le domaine *« Friendship Hill »* (la colline de l'amitié). Il fonde, avec d'autres immigrés suisses, la petite colonie de « *New Geneva* ».

A vingt-sept ans, Gallatin participe à sa première réunion politique et va faire une carrière fulgurante.

Très bon orateur malgré son fort accent français, gros travailleur, excellent rédacteur, il se fait rapidement remarquer pour son honnêteté. A tel point que, dès son élection en 1801, Thomas Jefferson le troisième président des Etats-Unis le nomme au poste de Secrétaire au Trésor.

Pendant treize ans, il tient les cordons de la bourse de la jeune démocratie américaine et met sur pied son système financier.

Ce sera le plus long exercice de cette fonction dans l'histoire.

Jefferson est un « *gentleman virginien* », habité par un romantisme agraire, menant une vie raffinée sur ses vastes plantations.

Comme tout bon esclavagiste qui se respecte, il y vit avec une métisse qu'il ne peut évidemment pas montrer à Washington.

Alors, à la moindre occasion, il se retire dans son domaine.

C'est Albert Gallatin, le visionnaire, le créatif qui va faire le boulot et poser les bases d'une gestion efficace des deniers publiques.

Pour le genevois, l'importance de l'Ouest avait surgit dramatiquement le 15 février 1803. A Washington, la Chambre des Représentants reçoit une proposition du secrétaire au trésor Gallatin accordant les crédits nécessaires à l'achat de la Louisiane. Cela avait commencé par une enchère faite sur le port de la Nouvelle-Orléans. Mais les négociations étaient bloquées jusqu'à ce que Napoléon, qui se préparait pour une énième guerre contre l'Angleterre, annonce que les Etats-Unis pourraient avoir la Nouvelle-Orléans à condition d'acheter tout le territoire de la Louisiane. Stupeur générale, mais Bonaparte avait ses bonnes raisons pour cette offre dramatique. Il possédait les titres de la Louisiane, mais avait très peu de pouvoir et de ressources pour les maintenir et la défendre.

Gallatin n'allait pas laisser passer l'occasion de doubler le territoire de la jeune nation Américaine.

Il va mener les choses rondement ; le traité est signé fin avril pour quinze millions de dollars (400 millions d'Euros). C'est la plus grande et la plus étourdissante transaction immobilière de l'histoire. La seule dont l'acte ne mentionne pas la superficie car aucune des deux parties ne connaissait les limites de la Louisiane qui occupait toute la partie ouest du bassin du Mississipi, soit l'équivalent de douze Etats actuels. En sa qualité de secrétaire au Trésor, Gallatin, sans recourir à des augmentations d'impôts, négocie un prêt avec des banques anglaises. Non satisfait d'avoir acheté la Louisiane à lui tout seul, en fin stratège, il réussit le tour de force de l'acheter avec de l'argent anglais qui servit à financer la guerre engagée par Napoléon contre l'Angleterre. Depuis, les Américains chantent : « *Let the Land rejoice, for you have bought Louisiana for a song.* » (Que se réjouisse la nation, puisque vous avez acheté la Louisiane pour une bouchée de pain.)

St.-Louis, 9 mai 1804 sur la place de l'hôtel « *Schwitzerland* » tenu par un compatriote on descend le drapeau Français et on hisse le drapeau Américain pour la première fois.

Assistent à cette cérémonie deux hommes envoyés par Gallatin pour une exploration de l'Ouest mythique, une course vers le Pacifique où se trouve désormais le destin de l'Amérique.

Lewis et Clark sont venus engager des « *Frenchmen* » pour leur servir de guides, de chasseurs, d'interprètes et de bateliers. Car dans l'Ouest, les lieux appelés à entrer dans l'imaginaire collectif du « *Far West* » ont déjà été nommés par les Français : les « *Côtes noires* » (Black Hills), la rivière « *Roche Jaune* » (Yellowstone), la chaîne de montagne du « *Grand Teton* ».

Ils ont établi leur Quartier Général dans la grande maison en pierre au bord du Mississippi propriété de « *Charles Gratiot* ».

Ce dernier est né à Lausanne et, après un passage par le Canada, arrive à St.-Louis en 1780 à l'âge de vingt huit ans. Il s'établit en tant que marchand de fourrures.

C'est un personnage important. Il sera le géniteur de treize enfants. Le vaudois Gratiot fut un des rares pionniers de la Louisiane à effectuer, tout au long de sa vie, plusieurs voyages entre l'Europe et l'Amérique ce qui représente un exploit considérable. Quatre mois d'un voyage long et périlleux pour rejoindre la Louisiane. Dans l'Atlantique Nord, les tempêtes sont fréquentes. Les conditions de vie à bord sont inconfortables et difficiles : promiscuité, manque d'hygiène. Aux morts durant la traversée, s'ajoutent les décès peu après le débarquement. Au final, seul un voyageur sur deux arrive vivant dans les colonies du Mississippi.

Gratiot meurt en 1817 à St. Louis à l'âge de 65 ans.

Gallatin avait une vision à long terme concernant l'Ouest où à chaque étape correspond une nouvelle ligne de peuplement ténue, imprécise et mouvante.

C'est la « *frontière* », une séparation entre les zones civilisées et le domaine encore sauvage. Puis, il y aura le trappeur s'aventurant au-delà du fleuve, pour percer le mystère des infranchissables Montagnes Rocheuses.

Une autre Amérique va naître. Frontière après frontière un Ouest allait succéder à un autre.

Le Suisse a un grand dessein pour lequel il collectionne les cartes existantes à l'époque de cette « *Terra Incognita* » où l'on considérait que le Missouri venait de l'infini. Il poursuit l'espoir de trouver le fameux passage du nord-ouest, une série de rivières connectées entre elles qui auraient permis de traverser les montagnes Rocheuses pour atteindre l'océan Pacifique.

C'est lui qui délimite le secteur à explorer et met sur pied l'expédition composée de franco-canadiens.

Qui sont ces hommes qui chantent :

V'là l'bon vent, v'là l'joli vent

V'là l'bon vent ma mie m'appelle

V'là l'bon vent, v'là l'joli vent

V'là l'bon vent ma mie m'attend.

Ce sont des trappeurs familiers avec le Missouri qui vont servir de guides, d'interprètes et de chasseurs.

Ils ont exploré l'Amérique, du Saint-Laurent au Mississippi, du Missouri au Rio Grande, des côtes de l'Atlantique aux Montagnes Rocheuses et bien au-delà.

Pendant presque trois siècles, ceux que l'on a surnommé les « *coureurs des bois* » ont sillonné l'Amérique en pénétrant ses forêts et en empruntant son formidable réseau de voies d'eau.

Ils ont délaissé leur culture européenne pour adopter le mode de vie des peuples amérindiens. A leurs côtés, ils ont partagé les derniers moments d'une Amérique d'abondance et de liberté. Des hommes heureux au milieu des difficultés, des privations et des dangers. Travaillant avec patience, ne se laissant pas décourager, fertiles en expédients et savants dans l'art de surmonter la force des courants ; toujours alertes, toujours de bonne humeur.

Ils se sont battus contre les Indiens, se sont fait trappeurs par nécessité, bateliers par désoeuvrement et sont morts dans le Grand Ouest par malchance.

Ils n'ont pas laissé plus de traces que les Indiens. Pourtant tous ces hommes ont parlé, réfléchi, souffert et lutté.

Ils ont aimé des « *squaw* » car chez les Indiens, le sexe n'était pas frappé d'interdits et empreint de tabous comme chez les blancs.

Les jeunes femmes Indiennes « maîtresses de leur corps », bénéficiaient d'une grande liberté sexuelle et, dans l'Ouest, les « *hommes de la frontière* » s'initient au rituel de l'allumette : ils visitent les « *tipis* » durant la nuit et viennent faire la cour aux jeunes femmes qui, si elles soufflent l'allumette, acceptent de coucher avec eux.

Il était bien vu, pour une Indienne, d'avoir un amoureux parmi les Blancs. Si les premiers coureurs des bois ont dû développer des trésors de charme pour les séduire avec leur longues barbes (les indiens n'ayant pas de poils), les voyageurs, quant à eux, précédés par la réputation de bons amants qu'on leur avait faite, étaient attendus à bras ouverts.

Leurs sentiments demeurent inaccessibles.

De leur aventure il ne reste que des débris épars, ils sont les hommes du vent !

Pendant que Gallatin met de l'ordre dans les finances publiques, un autre suisse est chargé de mettre de l'ordre dans les systèmes de poids et mesures de la jeune nation américaine.

Il s'agit du métrologue et mathématicien Ferdinand Rudolph Hassler né à Aarau en 1770, et qui, conscient de l'absence de perspectives en Suisse, émigre aux Etats-Unis en 1805.

Deux ans plus tard, son compatriote Gallatin le nomme au poste de directeur de l'agence scientifique du gouvernement.

A l'époque, les unités de mesure des Etats-Unis ne sont pas unifiées et il existe de grandes divergences entre les différents états. En 1832, Hassler réalise les étalons de longueur, de poids et de volume pour le département du Trésor.

Ces étalons sont distribués à chaque Etat de l'Union afin d'uniformiser les poids et mesures.

Hassler est chargé d'effectuer les calculs de longitude à partir des données d'observation que Lewis et Clark ont rapportées de leure mission. C'est sur lui que reposait la matérialisation ultime du plan qu'espérait Gallatin..

En plus d'un physique ingrat, il n'avait pas un caractère facile ce qui le rendait impopulaire.

On le comprend si on pense que c'était avant l'avènement des calculatrices électroniques et des ordinateurs. Toutes les opérations mathématiques devaient être effectuée " à main levée ".

Toutes les opérations utilisant des fonctions trigonométriques devaient quant à elles, être effectuées à l'aide de logarithmes... un vrai travail de benédictin.

Non, il n'existait pas de voie navigable du Mississippi au Pacifique. Le fabuleux passage du Nord-Ouest n'avait été qu'un rêve.

3

VIOGET

Le premier Suisse à avoir débarqué dans la baie de " *Yerba Buena* ", fut le Vaudois Jean-Jacques Vioget au printemps 1837.

Agé de 43 ans, ses aventures maritimes le long des côtes du Brésil et du Mexique dépassent les rêves les plus fous !

C'est le premier francophone à s'installer sur la péninsule déserte et battue par les vents de la baie de San Francisco qui comptait, à l'époque deux maisons construites en 1835.

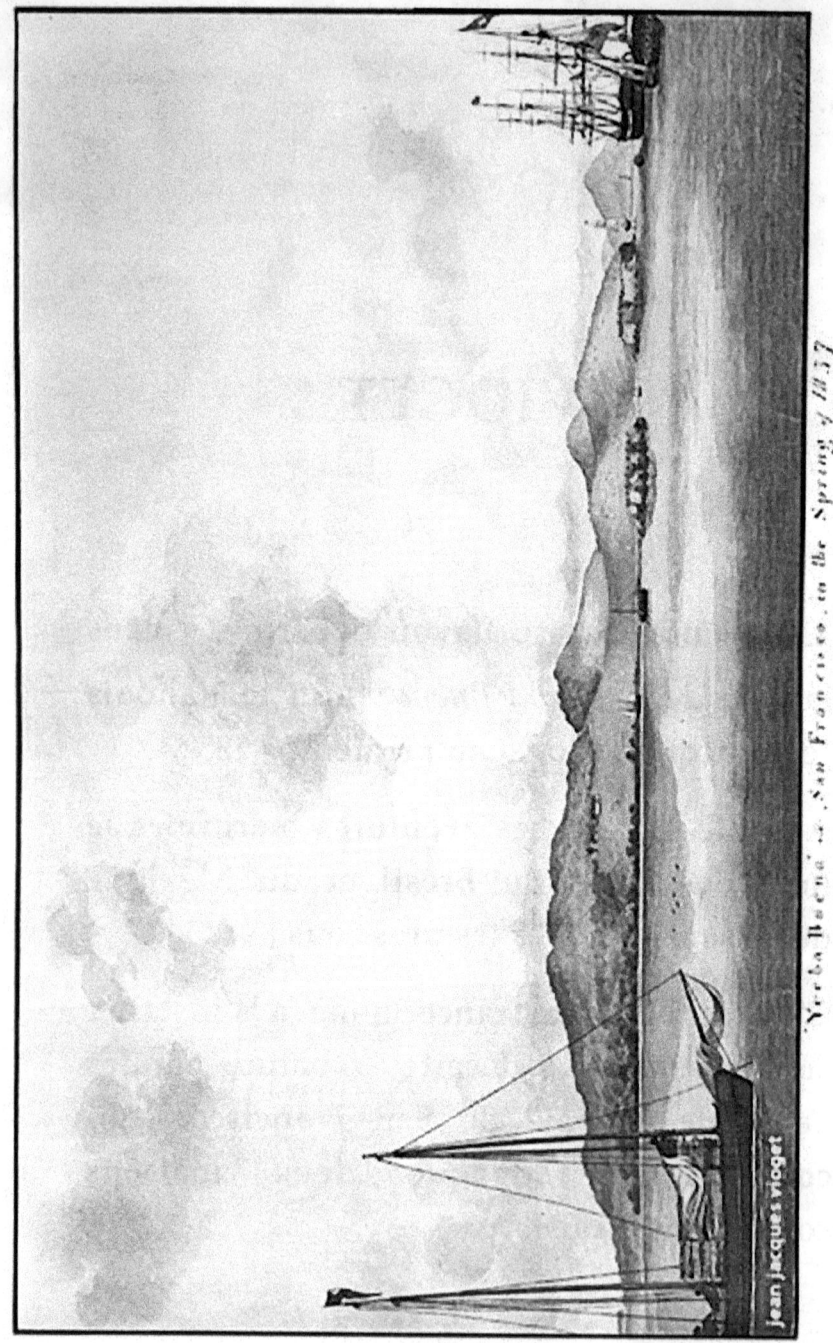

Yerba Buena or San Francisco in the Spring of 1837

jean jacques vioget

Doué d'un joli coup de pinceau, on lui doit une aquarelle de la baie avec, à droite, son bateau le " *Delmira* " arborant un drapeau Suisse au-dessus du pavillon Péruvien. Témoignage exceptionnel puisqu'on y voit les collines vertes encore sauvages

Vioget est né le 22 Avril 1794 à Combremont-le-Petit dans le canton de Vaud. Fils de Jean-Pierre Vioget et de Jeanne Meister, il est baptisé le 4 Mai 1794 dans l'église de Combremont-le-Petit.

En Novembre 1813, à l'âge de dix-neuf ans, il s'enfuit de la maison pour s'enrôler dans le régiment Suisse des troupes Napoléoniennes au sein du bataillon de Stoffel :

(Service Historique de la Défense, château de Vincennes - registre 23 YC 180 page 49). En Avril 1815, comme il est trop jeune pour combattre, il tient le poste de tambour major et est blessé à la bataille de Waterloo le 18 juin 1815.

Après la chute de l'Empire, il devient l'apprenti d'un ingénieur naval en France. Il s'expatrie en Indonésie où il travaille comme ingénieur naval à Djakarta. En 1820, il entre dans la marine brésilienne, où il atteint le rang de capitaine. C'était un homme aux nombreux talents ; il parlait plusieurs langues, jouait du violon et deviendra un peintre reconnu.

Dans les années 1830, au commandement du trois-mâts le « *Delmira* », il se livre au commerce maritime en faisant du cabotage entre le Pérou, l'Equateur, le Mexique et la Californie. Il reprend la mer et revient s'établir à *Yerba Buena* (qui deviendra San Francisco) deux ans plus tard en 1839.

Le 1er juillet de cette même année, un autre helvète foule la baie de San Francisco. Cet homme résolu au visage intense, c'est John Sutter, originaire du canton de Bâle. Le Suisse va conquérir la Californie. Il a émigré aux Etats-Unis en 1834, à l'âge de 30 ans.

Le 22 avril 1838, il quitte Indépendance dans le Missouri où se regroupaient les caravanes pour le long voyage vers l'Ouest. Le gouvernement mexicain, qui encourage alors la colonisation, lui octroi en concession la vallée du Sacramento. C'est-à-dire la partie la plus riche, la plus fertile et la mieux boisée de toute la Californie : la " *Nouvelle Helvétie* ".

Pendant ce temps, " *Yerba Buena* " était devenue un immense bourbier, où bêtes et gens s'engloutissaient à chaque pas. Une foule compacte et affairée s'agitait dans la boue avec une insouciance toute philosophique. Toutes les conditions grouillaient ensemble dans la crotte, et si jamais l'égalité a existé quelque part c'est assurément à San Francisco qu'on l'aurait trouvée.

L'humour était corrosif mais il découlait d'un réalisme instinctif, une création américaine, quelque chose d'entièrement neuf, d'unique.

De nombreuses parcelles ayant été octroyées oralement, sans relevé, il devint nécessaire d'établir un certain ordre dans le village en développement. Et voilà que le gouvernement mexicain décide, en 1839, de cartographier le tracé de ce qui deviendra, plus tard, le centre ville. On désigne Vioget pour ce travail car c'est le seul ingénieur sur place et le seul qui, en tant que capitaine de navire, possède les instruments de mesure nécessaires.

Mais le vaudois n'est pas géomètre et, malgré toute sa bonne volonté, il va, dès le début, commettre l'une des plus grosses erreurs d'urbanisme au monde en décidant d'utiliser une grille urbaine sur ce site dont le moins qu'on puisse dire est mouvementé.

Comme de coutume pour l'administration mexicaine, Vioget utilisa les mesures espagnoles en " *varas* " pour dimensionner rues et blocs suivant une grille approximativement orthogonale.

L'extension de " *Yerba Buena* " n'avait alors absolument rien à voir avec la création d'une ville ; la population devait être de l'ordre de la cinquantaine, incluant seize étrangers. Jamais Vioget n'aurait pu imaginer le développement futur de San Francisco. Sa vision se limitait strictement à la création d'un bourg au creux d'une vallée entre les collines de la péninsule. A ce titre, la grille orthogonale pouvait lui paraître comme parfaitement adaptée puisqu'elle se développait uniquement sur un sol plat. La bonne connaissance des villes d'Amérique du Sud qu'il avait acquise au cours de ses périples de capitaine de marine ne pouvait que le conforter dans cette idée.

Simple à mettre en œuvre, la grille permet le repérage de tout point par rapport à deux directions se croisant à angle droit. Appliquée sur un sol sans accident suivant des principes de triangulation elle permet un repérage conforme au tracé sur papier.

Lorsque le système orthogonal est projeté sur des reliefs, la grille imprimée sur les collines va se déformer verticalement pour suivre le sol. Vioget n'avait donc rien d'un visionnaire, ce n'était pas non plus un fameux géomètre puisque les lots implantés déviaient de 2,5° de l'angle droit et que l'ensemble de la grille manquait le Nord géographique de quelques 11°, ce qui va rester une caractéristique étonnante de San Francisco.

On peut toutefois s'interroger sachant que les conséquences de ces approximations sont sans grande importance à l'échelle d'un village. Il paraît en tous cas difficile de lui imputer l'entière responsabilité d'une erreur originelle à laquelle il sera impossible d'échapper. Certaines rues vont suivre la ligne de crête en dos de dromadaire pendant que d'autres vont décrire des demi-cercles en montée ou en descente en suivant des pentes que même une chèvre ne saurait gravir.

La décision d'utiliser une grille urbaine sur le site tourmenté de la péninsule de San Francisco a toujours été beaucoup contesté en remettant en cause la compétence du vaudois qui avait été choisi uniquement parce qu'il était le seul à posséder un théodolite. On lui reproche d'avoir engagé une bataille contre la nature d'une manière si légère et insouciante qu'elle implique un combat pour plusieurs générations tant les travaux de terrassement, de nivellement et de remblai s'avèrent de longue haleine. Le jovial Vioget va se faire un point d'honneur de massacrer la baie de San Francisco, une des plus belles au monde, avec son théodolite ! En dessinant des cartes et des plans de la ville bâtie en amphithéâtre sur la colline, face à la baie avec des rues qui se croisent à angle aigu quelle que fût la configuration du terrain ; celles qui étaient perpendiculaires à la rade grimpaient à l'assaut de la colline en une forte inclinaison.

Vioget n'était pas un urbaniste ni un fameux géomètre et, malgré toute sa bonne volonté, ses instruments n'étaient pas assez précis.

Le Suisse fera ainsi de San Francisco qui pousse à une vitesse vertigineuse la ville ayant les rues les plus pentues au monde.

Chaque arrivée de navire était guettée par les propriétaires de saloons, maisons de jeux et lupanars.

Et nul n'était attendu avec plus de fièvre que les bateaux français car tous transportaient à leurs bords quelques " demoiselles françaises ".

" *The miners came in forty-nine. The whores in fifty-one and when they got together they produces the native son.*"

" Les mineurs arrivèrent en quarante-neuf. Les prostituées en cinquante et de leur rencontre est né l'enfant du pays."

Conscient de l'accomplissement d'un devoir qui est généralement associé à l'immortalité, Vioget arpente toute la journée à quatre pattes les collines qui entourent la baie avec son sextant et son compas à la main.

Le soir, sur sa table à dessin, il trace de grandes avenues toutes droites qui attaquent les collines de face sans tenir compte du relief rugueux.

Car il est convaincu que personne ne mettra en doute la légitimité et le bien-fondé de l'idée que toute beauté est confinée à des lignes droites et une surface plane.

Si les grandes avenues avaient été adaptées à la configuration naturelle du site sur lequel s'est développée la ville, il en aurait certes résulté quelques irrégularités dans les plans et peut-être que certains terrains constructibles auraient été perdus, mais on aurait évité les pentes.

Mais Vioget, inlassablement, par monts et par veaux, projette impitoyablement ses lignes droites.

Son travail est juste à regarder sur le papier, mais déroutant à suivre à pied.

Il va ainsi accoucher d'une ville inarticulée, en antagonisme violent avec la nature car le plan de la ville du vaudois n'était pas conforme avec la topographie des lieux où il est absurde de créer des rues à angle droit sur une telle surface en dos de dromadaire.

De la première erreur il n'y a, bien sûr, pas d'échappatoire et San Francisco devra croître en conformité avec les lignes d'origines balisées pour elle par le Suisse.

Dans de telles circonstances, une réorganisation des rues ne pouvait apparaître que comme une lubie d'ingénieur soucieux de sa propre réputation.

Son meilleur ami en Californie aura été le capitaine Sutter.

Il cartographie pour lui l'emplacement du fort de la « *Nouvelle Helvétie* » en 1841 et 1843. Très vite les deux hommes deviennent de bons compagnons et le resteront toute leur vie malgré les chambardements de la ruée vers l'or. Le vaudois et le bâlois s'apprécient, parlent français entre eux et Vioget sera même le témoin de Sutter lors de l'achat de la colonie russe de Fort Ross en Décembre 1841 (dont l'acte rédigé par Nicolai Rotchoff est en français). Par la suite, il restera l'agent de Sutter à San Francisco.

En 1847, San Francisco comptait 500 habitants dont 6 Suisses.

Il fallut se rendre à l'évidence, on rabota les collines avec une machine à vapeur et on jeta la terre et la roche dans la baie, créant un nouveau quartier qui devint le *"business district "*.

En janvier 1840, Vioget reçut du conseil municipal un lot donnant sur la rue principale en paiement de ses services. L'année suivante il aménagea un hôtel et un *saloon* avec une salle de billard. C'était le seul établissement d'avant la ruée vers l'or à offrir quelques distractions aux capitaines, aux " *rancheros* ", et aux rares officiels de la région.

Le " *saloon* " de Vioget, situé sur la rue Clay, juste à l'est de Kearny, devait devenir le premier hôtel en Californie, mais de nombreux événements se sont déroulés dans ses murs avant d'avoir enregistré un client payant.

Le *saloon* est rapidement devenu le centre de la ville, aidé par le fait que le patron était un gai compagnon très divertissant.

Son grand copain était le Russe Hoeppner (ils parlaient français ensemble), avec lequel il se livrait à de mémorables duels de "grande bouffe".

Comme il avait adopté les moeurs et les coutumes mexicaines, on l'appelait couramment Don Juan Vioget.

Il adopte le costume californien : courte veste bleue, pantalon noir, épaisse moustache.

En 1845, à 51 ans, Vioget reprit la mer et renoua avec la marine marchande.

On le vit mouiller aux îles Sandwich, jeter l'ancre devant Acapulco à la barre de son trois-mâts, le « *Clarita* », qui mouilla l'ancre devant Acapulco vers le mois d'avril 1846.

De retour à *Yerba Buena* en 1847, Vioget épouse Maria Montero Benavides, fille d'un ancien gouverneur mexicain.

Il passera ses dernières années à San José jusqu'à sa mort le 26 octobre 1855, à l'âge de 61 ans.

L'état des rues s'était un peu amélioré depuis les premières installations. Mais les voitures à cheval connaissaient toujours les mêmes difficultés pour gravir les pentes des collines. Les riches personnalités de la cité en profitèrent pour se loger au calme et au grand air !

Le Suisse était parfaitement conscient que ses mesures n'étaient pas totalement dignes de confiance. Son théodolite de marine n'était en effet pas assez précis pour un tel relevé.

Mais le point principal sur lequel il n'a pas été compris et a subi les pires critiques, ce sont les deux degrés et demi de déviation sur sa carte des angles droits des rues. Le vaudois avait pris en considération des notions de lumière du soleil et de vent. Chaque maison aurait eu une part égale de soleil sur son avant. La sagesse de Vioget était basée sur la connaissance de la valeur de la lumière et de la chaleur du soleil à San Francisco.

Vioget proposait tout à coup une approche plus poétique qui cherchait à tirer le meilleur profit des collines considérées comme la véritable richesse du paysage de San Francisco.

Tout étranger, dans sa première approche de San Francisco, ne manquera pas, tandis qu'il entre dans la baie, d'être subjugué par la singularité et particulière beauté du site. Car l'identité de San Francisco s'incarne justement dans les ondulations de ses rues. La topographie des collines donnent à la ville son caractère unique.

Très sympathique, le Suisse était trop modeste pour l'Histoire.

Pas une seule des rues de San Francisco ne porte le nom de ce pionnier et fondateur de la ville pour laquelle il restera toujours un "mal aimé" !

4

SUTTER

En 1803, naît en Suisse l'homme qui, plus que tout autre, contribuera à repousser la frontière occidentale des Etats-Unis encore plus à l'ouest, jusqu'au Pacifique. L'homme qui sera à l'origine du développement de San Francisco, l'homme qui fondera Sacramento, l'homme qui offrira sur un plateau à la jeune Amérique son plus bel état : la Californie. Cet homme, c'est « *Johan Augustus SUTTER !* ».

En créant la « *Nouvelle Helvétie* », il va être le conquérant de l'Ouest Américain et entrer dans la légende.

Sutter est un grand pionnier qui bâtira un empire dans une nature sauvage. « *Sutter's Fort* » sera le seul fort de la région. En 1841, à l'abri d'un mur d'enceinte en briques crues de cinq mètres de haut s'entassent des boutiques, des maisons, un moulin, une tannerie, une distillerie et des entrepôts.

Son seul défaut : il sera le plus mauvais homme d'affaires dans l'histoire du capitalisme. Qu'importe...idéal, passion et partage des émotions, sont de vraies richesses qui ne s'achètent pas. Le gaillard est captivant, débordant d'énergie, et tel que les amateurs de grandes aventures ne sauraient en souhaiter de meilleur. Par son labeur de pionnier, il a conquis sa place dans l'Histoire !

Conquérant de la Californie et roi de la « *Nouvelle-Helvétie*», Sutter sera un « *Don Quichotte* » des temps modernes flamboyant, charismatique, plein de panache, un géant !

L'histoire des Etats-Unis sur la côte du Pacifique débute le 1er juillet 1839. Ce jour-là, un grand gaillard helvète foule la baie de San Francisco.

Il a émigré aux Etats-Unis en laissant derrière lui, femme, enfants et... quelques dettes ! Il aborde New York en juillet 1834, à l'âge de trente et un an. Dès son arrivée, il se dirige vers l'Ouest, traverse d'abord la Pennsylvanie et l'Ohio pour atteindre Saint-Louis où il descend à l'Hôtel « *Schwyzerland* » tenu par un compatriote à la rue du Front.

Puis il se lance sur la " piste des géants " et traverse les Grandes Plaines. C'est un océan d'herbes, c'est merveilleux, nouveau, romantique, dramatiquement aventureux ; en vérité, ça donne du prix à la vie, du prix au voyage.

Sutter, la mine altière, avance en sifflant un air du carnaval de Bâle, un air de fifre !

p. 60

Chaque été, les trappeurs se rassemblaient pour échanger leurs fourrures contre des équipements pour l'année suivante. Ces rendez-vous ont eu lieu pour la plupart dans la vallée de la Green River, au sud-ouest du Wyoming.

L'un des deux derniers, celui de 1838 fût particulièrement mouvementé. Comme le thermomètre atteignit 38°C, les affaires fûrent vite expédiées et le « *Rendezvous* » se transforma en un mois de festivités :

« *Songs, dancing, shouting, running, jumping, singing, racing, target-shooting, yarns, frolic, with all sorts of extravagances that white men or Indians could invent.*"

Deux géants de l'Ouest se rencontrent un soir d'août 1838 sur les bords de la Green River.

Jim Bridger, greatest of Plainsmen, Scouts, Guides and Trappers

Pendant l'hiver 1824, un jeune homme d'à peine vingt ans fût le premier homme blanc à explorer le grand lac salé de l'Utah et surtout la région du « Yellowstone » restée inhabitée. Les Indiens s'étaient toujours tenus à l'écart car sa ceinture de montagnes n'est pas praticable, et parce que les phénomènes qui s'y produisent les remplissaient de terreur superstitieuse.

Dans la mythologie du Far West, Bridger apparaît comme un héros.

Même les histoires qu'il inventait réussirent à être plus dramatiques ou romantiques que sa propre vie. Il en fera des récits très pittoresques comme pour la « *peetrifies forest* », où des « *peetrified birds* » chantaient des « *peetrified songs* ».

Ce jeune homme, doté d'une constitution physique exceptionnelle qui lui permit de survivre aux conditions extrêmes des Montagnes Rocheuses pendant vingt ans, s'appelait Jim Bridger.

En 1840, Bridger construit un « trading post » qui deviendra plus tard « Fort Bridger », pour approvisionner les pionniers sur la piste de l'Orégon et du California Trail. Comme beaucoup de forts de l'Ouest, il ne s'agissait pas d'un poste militaire, mais d'une station de commerce fortifiée. Ce dernier raconte :

« Un jour que j'étais poursuivi par une bonne centaine de guerriers cheyennes sur le pied de guerre, j'ai cherché refuge dans un étroit canyon qui s'avéra être un cul de sac. Les flèches sifflaient, les Indiens fonçaient sur moi en hurlant, leur tomawak à la main. La poussière soulevée par les sabots de leurs chevaux remplissait l'étroit canyon ! »

Là, Bridger stoppait net son récit, en attendant que quelqu'un lui demande :

« Et alors, que s'est-il passé ? »

A quoi il répondait : « They kilt me ! » (ils m'ont tué).

L'emplacement où Bridger aimait établir son campement se trouvait en face d'une belle montagne tellement lointaine que l'écho d'un bruit émis dans le campement mettait six heures à revenir.

Avant de se coucher, Jim criait : " Il est l'heure de se lever ", pour que son cri revienne au bon moment.

Durant l'année de la Grande Neige, il était tombé un pied de neige par jour pendant soixante-dix jours d'affilée, si bien qu'à la fin vingt-deux mètres de neige couvraient le sol.

Jim Bridger y avait trouvé son ravitaillement assuré pour un an, tous les bisons ayant été enterrés sous les flocons.

Il n'eut plus qu'à traîner les cadavres jusqu'au Grand Lac Salé et les y laisser mariner.

La viande, ainsi conservée et salée, l'avait nourri pendant longtemps.

Les hommes de la Frontière adoraient la boisson et les rixes.

Ils se seraient battus contre n'importe quoi, contre un serpent à sonnette au besoin et auraient été les premiers à le mordre..

Ils adoraient les démonstrations de force et d'endurance.

Il en était une, qui consistait à transplanter Guillaume Tell au Far West : abattre d'un coup de feu un oeuf placé sur la tête d'un compagnon qui lui rendait la pareille.

Jim racontait l'histoire d'une certaine rencontre au cours de laquelle il avait dû s'enfuir devant six Peaux-Rouges avec pour seule arme un pistolet.

Son cheval était rapide, mais peu à peu les Indiens gagnaient du terrain sur lui.

Cinq fois, les poursuivants s'étant trouvés à portée de son tir, Jim s'était retourné sur sa selle et avait abattu l'Indien de tête. Il ne restait plus qu'un Peau-Rouge et plus qu'une seule balle dans le barillet quand ils arrivèrent au bord d'une gorge si large et profonde qu'aucun cheval n'aurait pu sauter. Les deux hommes s'entrechoquent, tombent à terre où ils commencent à se battre au couteau. Le corps à corps fut un dur et long combat au cours duquel Jim, avais tantôt, le dessus, tantôt le dessous... Là, il faisait une pause dans son récit et attendait qu'on lui demande :

" Et comment cela s'est terminé ?" Ce à quoi il répondait :

" L'Indien m'a tué encore une fois !"

Chacun pouvait se vanter d'avoir connu les aventures les plus sauvages, d'avoir tué le plus grand nombre d'ours, d'être le plus grand buveur, d'avoir le plus d'argent à dépenser et d'être le favori des belles.

Les feux crépitent, les instruments de musique expirent, les hommes boivent et dansent, les femmes sont à la rivière.

Le Canadien Pierre "La Framboise" s'écrie "Vive la France" au milieu d'une rixe alcoolisée, pendant que les autres trappeurs entonnent gaiement :

"Alouette, gentille Alouette, Alouette, je te plumerai ! "

Pendant que Jim Bridger se fait extraire une pointe de flèche qui s'était logée dans son épaule depuis trois ans.

C'est à cette occasion que deux destinées hors du commun vont se croiser.

Celle de Jim Bridger en train de raconter ses histoires extraordinaires en anglais, français et en langage des signes à un public médusé assis en rond autour de lui, parmi lequel se trouve un émigrant suisse en route vers la Californie :

" John Sutter ".

Le " pied tendre " écoute médusé les trappeurs raconter l'extraordinaire aventure de John Colter, l'un des leurs, figure légendaire de la conquête de l'Ouest.

Une chose est certaine, Colter a vraiment traversé les plaines de l'Ouest tout nu avec une centaine de guerriers Indiens à ses trousses qui en voulait farouchement à son scalp.

Il a été le premier homme blanc qui pendant l'hiver 1807-1808 a découvert ce qui est maintenant le parc du Grand Téton nommé ainsi par les trappeurs franco-canadiens qui vont suivre. John Colter était un membre de l'expédition de Lewis et Clark (1804-1806) organisée et financée par le Genevois Albert Galatin alors premier ministre des finances de la jeune république Américaine sous la présidence de Thomas Jefferson.

Une des plus célèbres expéditions de l'histoire.

Colter va parcourir des centaines et des centaines de kilomètres seul, sans guide, en plein hiver, dans une région où les températures nocturnes tombent à − 34°C.

Ce fut le premier *"Mountain Man"* connu.

Quelques années plus tard, il fut capturé par un groupe de guerriers *"Blackfeet"*. Désarmé et dépouillé, il fut relâché par ses ravisseurs pour une course à la mort où plusieurs jeunes braves, armés de lances, se mirent à le poursuivre.

Poussé par l'espoir de sauver sa vie, il courut de toutes ses forces à travers une plaine de dix kilomètres recouverte de figues de barbarie qu'il piétinait avec ses pieds nus. Il s'aperçut que les Indiens étaient très dispersés. Il gagnait du terrain sur ses poursuivants dont un seul s'approchait dangereusement sa lance à la main. Il était à deux kilomètres d'une rivière quand il se retourna pour faire face à son agresseur.

En écartant ses bras, Colter s'empara de la lance de l'Indien et le tua sur le coup. Mais, déjà, la horde arrivait, rendue hystérique par la vue de leur camarade mort.

Colter épuisa ses dernières forces avant de se jeter dans le fleuve. Il nagea sous l'eau avant de se planquer sous un radeau de branches flottantes. Plus d'une centaine d'Indiens hurlaient sur la rive l'ayant perdu de vue. Il se laissa dériver toute la nuit avant de rejoindre la rive, épuisé. Sa situation était désespérée : sans arme, complètement nu, les pieds en sang, il avait faim et se trouvait à au moins sept jours de marche du fort le plus proche. Sous un soleil de plomb, mangeant des racines, il réussit à atteindre le fort, affamé, au dernier stade de l'épuisement, les pieds lacérés et déchirés par les rochers et les épines de cactus.

Le *"Colter run"* fait partie d'un des récits les plus héroïques de la Frontière.

Braillards et vantards en diable. Blagueurs de génie ! C'était l'odyssée de l'Ouest au cours de laquelle tant de « *frontiersman* » ont disparu. Ils sont morts comme il se devait. Venus on ne sait d'où, ils s'en sont allés mystérieusement et leur mort fut sans doute dénuée de douceur.

En 1850, à la recherche d'une alternative à l'unique passage des Rocheuses, le « *South Pass* », il découvre une nouvelle route, le « *Bridger's Pass* » qui raccourcissait l'Orégon Trail d'une centaine de kilomètres. C'est ce passage qui sera choisi plus tard pour le tracé de « *l'Union Pacific Railroad* ».

Vingt trois ans plus tard, en juillet 1861, Bridger partira en exploration avec un autre Suisse, le neuchâtelois Edouard Berthoud, à la recherche d'une route plus directe entre Denver et Salt Lake City. En juillet, ils découvrent le col des Rocheuses qui porte le nom " *Berthoud Pass* ".

Berthoud arrive aux Etats-Unis en 1830. Cet enfant de deux ans ne peut pas se douter qu'il va devenir un des grands pionniers de la conquête de l'Ouest.

En 1860, à 32 ans, lors de la ruée vers l'or dans le Colorado, il s'établit dans la ville naissante de Golden. Cette ville, qui se situe à l'Ouest de Denver, (là où le voyageur s'engage dans les montagnes) aura été " sa ville ".

Il sera l'ingénieur en chef de la " *Colorado Central and Pacific Railroad* ", la première ligne de chemin de fer à pénétrer dans le Colorado. Aventurier, explorateur, ingénieur, il va construire des centaines de kilomètres de voies ferrées dans le Colorado dont la ligne Denver – Salt Lake City.

A sa mort en 1908, la presse écrivait :

" Il trouvera le plus court et le meilleur chemin dans les grands pâturages de l'au-delà ".

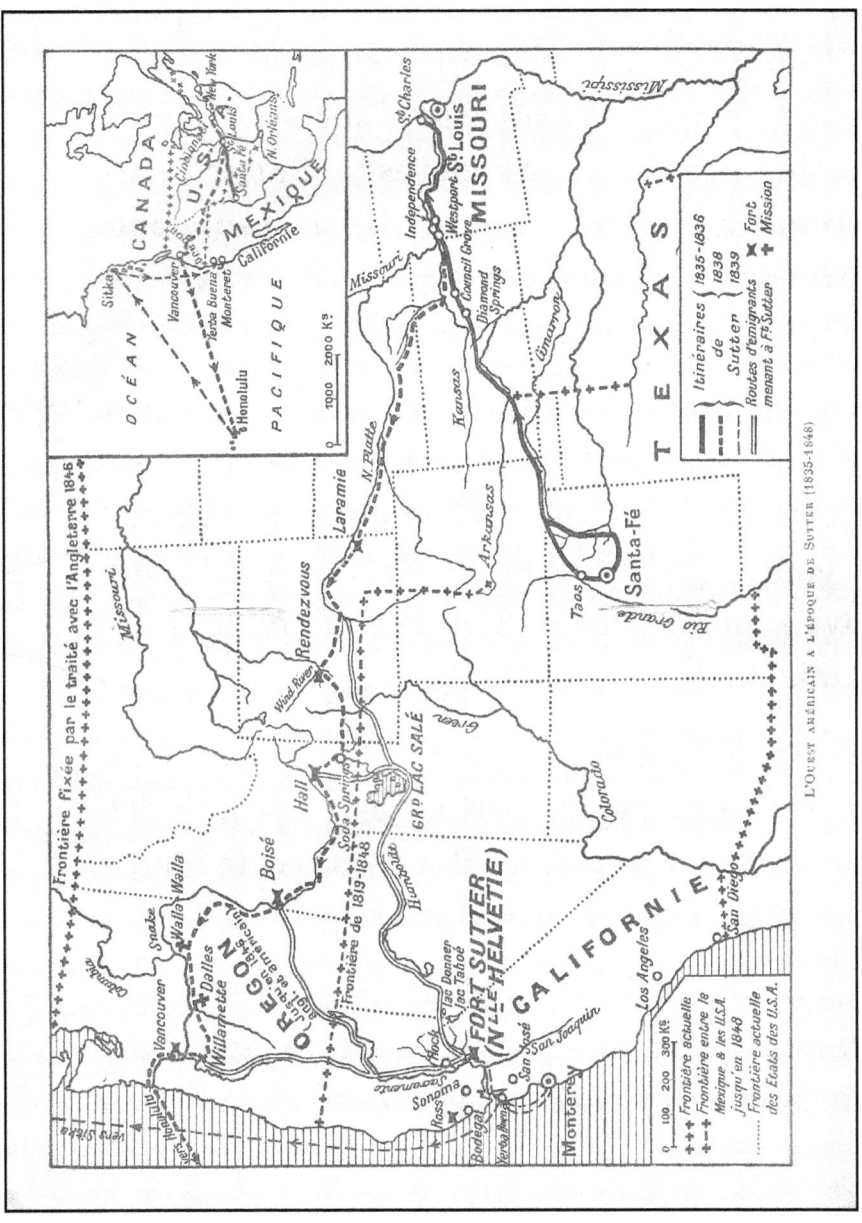

En cette année 1839, un homme créa pour l'Union américaine le premier point d'appui solide par-dessus les vastes mers de sables et de pierres. Cet homme, est le Suisse Jean-Auguste Sutter, un gaillard captivant, débordant d'énergie, tel que les amateurs de grandes aventures ne pourraient imaginer.

Là, au pied de collines dénudées, au bord d'une anse intérieure, se cachaient une demi-douzaine de maisonnettes primitives c'était « *Yerba Buena* ». Mais le petit port avait pour patron San Francisco, le plus aimable de tous les saints.

Enfin, il était en Californie. Pour y parvenir il avait traversé de part en part le continent américain, franchit les Rocheuses et la Sierra Nevada, tout ceci en quinze mois.

C'était là, enfin le vrai Nouveau Monde, une terre éloignée de toute civilisation, une sorte de pays chimérique et fabuleux.

Le 1ᵉʳ août, jour de la fête nationale suisse, il s'engage dans l'embouchure du fleuve Sacramento, une contrée que bien peu de blancs avaient vue avant lui.

Une caravane remonte lentement les rives du Sacramento. En tête, chevauche Sutter, le fusil en bandoulière.

Le fort de Sutter, bien plus vaste que le fameux Fort Laramie, ressemble au port des poèmes de Charles Baudelaire : un refuge au milieu de la sauvagerie du monde, un havre de paix pour les immigrants, un lieu étrange où l'on échange le pain et le vin contre des mots et du rêve.

Des chiffres qui donnent le vertige : 12 000 têtes de bétail à cornes, 2 000 chevaux et mules, 12 000 moutons.

Le succès est énorme.

SUTTER'S FORT, NEW HELVETIA (SACRAMENTO), IN 1847.

Même les Indiens désiraient connaître les bienfaits douteux de ce labeur désagréable que les blancs nomment travail.

Sa politique vis-à-vis des Indiens était très sage ; jamais l'homme blanc n'avait montré tant d'habilité dans la façon de traiter les Peaux-Rouges dont plusieurs comprirent que Sutter était leur meilleur protecteur contre les autres tribus hostiles.

A Yerba Buena, des matelots désertaient pour se rendre chez Sutter. Des trappeurs franco canadiens issus des Montagnes Rocheuses accouraient lui demander de les engager.

Peu à peu, la Nouvelle-Helvétie prend forme en même temps que Sutter explore la Californie, la quadrille du nord au sud.

Ce ne sont que des marais qu'il commence à drainer, des forêts qu'il brûle, des torrents et cours d'eau qu'il canalise.

Les maisons d'habitation, la ferme, les réserves de grains, les dépôts sont entourés d'un mur de cinq pieds d'épaisseur et de douze de haut.

A chaque angle s'élève un bastion rectangulaire muni de trois canons.

A la Nouvelle Helvétie, les gens souffrent, suent et jurent matin, midi et soir, car il y fait chaud, très chaud ; c'est probablement l'un des endroits les plus chauds d'Amérique.

Un des hommes de la garnison, très pervers, y mourut un jour, et alla naturellement directement dans le lieu de perdition le plus chaud... et, le lendemain, il télégraphia à Sutter pour réclamer ses couvertures.

Sutter est un vrai pionnier doublé d'un visionnaire sur la ligne ténue de la « Frontière ».

La « Frontière » qu'est-ce ? C'est tout simplement la lisière où le monde civilisé touche un monde sauvage, immense, un monde à conquérir. La Frontière, c'est l'inconnu, un monde vierge, des bêtes sauvages, des peuplades incertaines et étranges, des climats terribles.

Le froid, la chaleur extrême, la faim. La mort peut-être...

Il a réussi à fonder un empire sur cette terre promise encore inexplorée et d'une fertilité extraordinaire qu'on appelle la Californie.

Des terres si fertiles qui n'attisent même pas la convoitise des tribus indiennes contrairement à celles des Grandes Plaines qui se disputent de maigres ressources.

Les bœufs vont et viennent, les mules sont à la charrue, les bêtes à cornes sont dans les prairies, les moutons sur les collines, les chevaux dans les enclos.

Le fort s'édifie, d'une surface de 2 hectares entouré de murs d'une hauteur de 6 mètres et pourvu de tourelles, d'une lourde porte d'entrée. Tout est solide, grand, vaste, conçu pour durer.

Les bâtiments s'alignent : granges, magasins, réserves. Les ateliers trônent au bord de l'eau : un atelier de tissage, une forge, une tannerie.

Encore aujourd'hui, si vous vous amusez à planter une pelle en différents endroits de Sacramento, vous tomberez sur quelque chose qui a appartenu à John Sutter.

Dix canons et cinq pièces de campagne sont prêts à défendre le fort. Car le bonhomme se prend pour « *Davy Crockett* » : il est prêt à faire de son fort un deuxième fort Alamo et à lancer une déclaration d'indépendance du Mexique comme l'avait fait le Texas en 1836.

Par intuition, le Suisse a choisi le point stratégique le plus important : le verrou qui ferme la Californie intérieure.

Se sentant menacé par un gouvernement mexicain aux abois, il rédige une proclamation :

« Il est trop tard maintenant pour me chasser du pays. Encore une démarche hostile et je lancerai une déclaration d'indépendance, proclamant la Californie République indépendante du Mexique.

Maintenant, je suis fort ; nous sommes douze Suisses à diriger la garnison. J'ai ramené de fort Ross dix canons et cinq pièces de campagne et plus de 50 fusils de la Grande Armée de Napoléon. »

On ne peut être plus clair : Fort Sutter, c'est le verrou fermant la Californie intérieure, la partie la plus fertile de la province.

Les moissons rapportent du 500 % et les greniers sont pleins à craquer.

Les moutons, les chevaux, les bêtes à cornes se chiffrent par milliers, et malgré les difficultés qui ne cessent de surgir, la « Nouvelle Helvétie » prend des proportions gigantesques.

Sutter possède une magnifique région de 900 km2 et approvisionne tous les voiliers qui ancrent à présent dans la baie de San Francisco.

A l'âge de quarante-cinq ans, lorsqu'il est au faîte de sa réussite personnelle, il se sent maintenant puissant.

Il est le souverain de la « Nouvelle Helvétie »,

l'un des hommes les plus riches du monde.

A l'automne 1846, arrivent à Fort Sutter deux hommes morts de faim, deux squelettes ambulants, qui annoncent qu'une caravane d'hommes, de femmes et d'enfants, à bout de forces et de vivres, se débattaient dans les déserts du Nevada. Sutter fait sur le champ charger de vivres un convoi de cinq mules, avec deux de ses meilleurs indiens comme guides. La colonne doit franchir toute la chaîne de la Sierra Nevada avant de rencontrer la caravane Donner. Celle-ci est si mal en point que les provisions envoyées par Sutter disparaissent comme neige au soleil. Avant que les émigrants atteignent le col qui porte maintenant le nom de leur chef suisse, la neige tombe en masse telles qu'il n'est possible ni de pousser plus loin, ni de rebrousser chemin. La caravane Donner est prise au piège ! Les bestiaux disparaissent dans la première tempête de neige, et avec eux la dernière espérance de subsister pendant l'hiver.

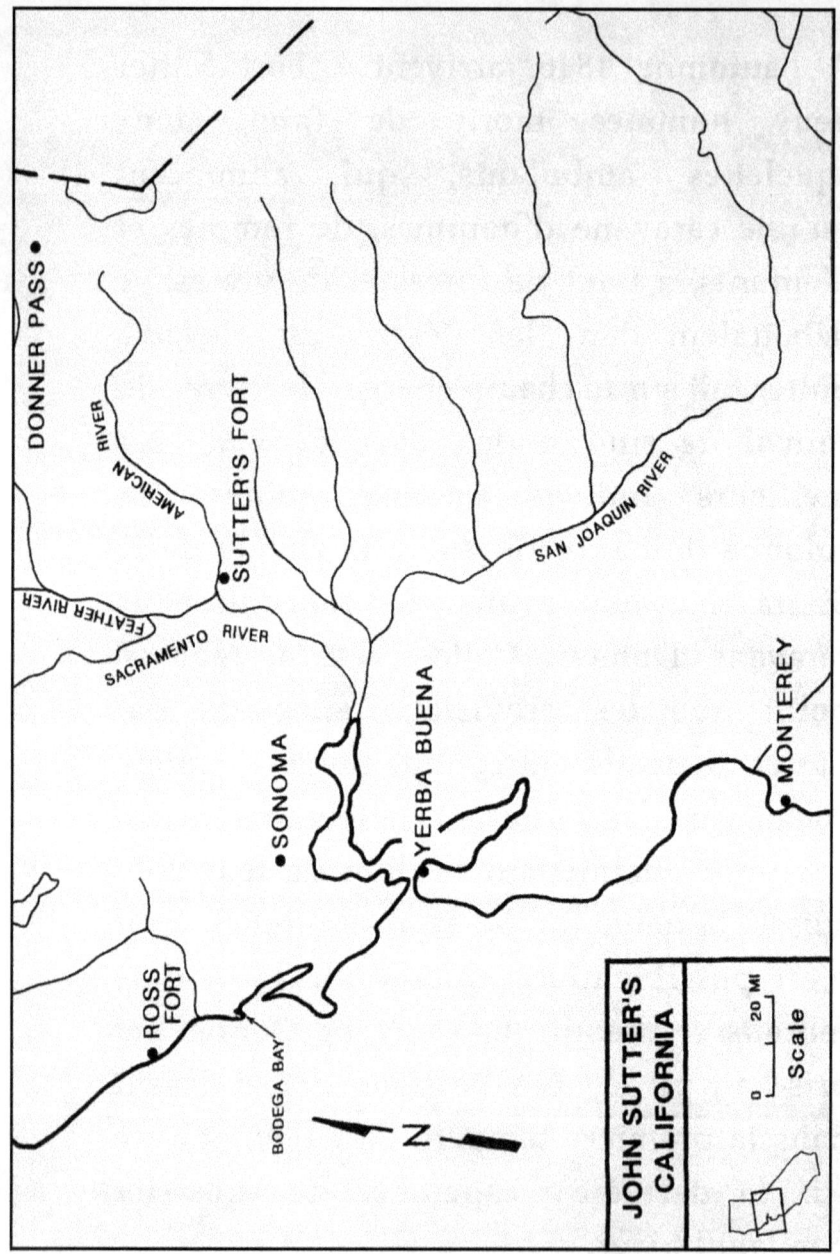

Si les émigrants avaient eu la moindre expérience de la haute montagne, ils auraient prévu la réaction de leurs bêtes et les auraient attachées, mais, comme beaucoup d'autres choses, ils ignoraient la violence des tempêtes dans la Haute Sierra. Alors se déroule une des plus effroyables tragédies de la conquête de l'Ouest. Déjà, tous les membres de la caravane Donner sont réduits à une maigreur squelettique. Certains sont morts, d'autres malades et immobilisés. Il n'en reste que bien peu encore capables de se tenir debout et de marcher.

De désespoir, dix hommes, parmi lesquels les deux Indiens de Sutter et cinq femmes, tentent, malgré la haute couche de neige, de monter jusqu'au col avec des raquettes de fortune et de redescendre dans la vallée. Ils savaient qu'ils mourraient peut-être, mais ils préféraient mourir dans la montagne en tenant tête au vent que de crever dans leur prison de neige.

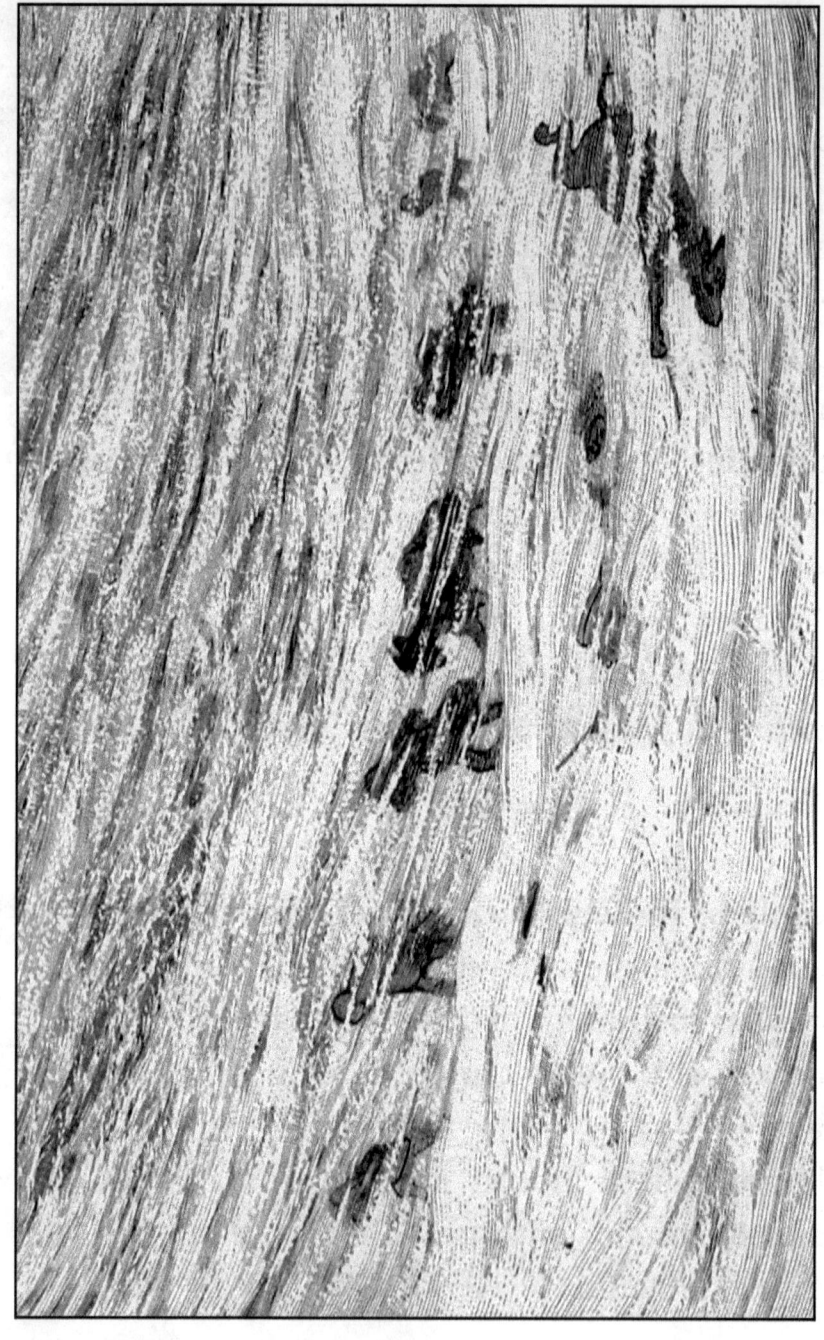

p. 94

Deux d'entre eux meurent, et leurs cadavres desséchés sont mangés par les autres.

Les nouvelles apportées par les survivants de cette avant-garde de la Mort répandirent l'effroi dans la vallée. Trente trois jours plus tard, des dix hommes et cinq femmes qui, le soir du 16 décembre 1846, avaient quitté le campement pour essayer de franchir la Sierra Nevada sur des raquettes, huit des hommes étaient morts.

Les cinq femmes étaient passées.

Cette petite troupe sera surnommée « *Forlorn Hope* » ce qui dans la terminologie militaire signifie « troupe sacrifiée ». Aussitôt que possible, une seconde colonne formé par Sutter de vingt-six chevaux, des « *vaqueros* » indiens et du ravitaillement, quitte le fort.

Elle parvient à délivrer un bon nombre de voyageurs enneigés.

Le 14 mars 1847 George Donner, le chef suisse de l'expédition était mort rongé par la gangrène. Sa femme meurt de faim et de froid à ses côtés sur les bords du lac qui porte leur nom. Le lac Donner est rempli de truites, mais les membres de la caravane n'ont pas réussi à les pêcher car ils ne connaissaient pas les techniques de pêche sous la glace utilisées par les indiens et les coureurs des bois. Tous les malheureux qui avaient survécu aux horreurs infernales de la famine et du froid étaient finalement rassemblés dans le fort du Suisse John Sutter qui ne rencontrera jamais son compatriote George Donner. Les rescapés soignèrent leurs plaies et reprirent des forces. De solide race paysanne, ils furent vite sur pied.

Sutter va désormais se comporter en ange tutélaire de centaines de colons venus de l'Est. Sa réputation remonte le long des pistes, colportée par ceux qui reviennent de l'Ouest.

A l'automne 1847, il décide la construction d'un important moulin à farine le long de l'American River, et entreprend de bâtir une scierie sur place afin de disposer de suffisamment de bois et surtout approvisionner la ville naissante de San Francisco où il faut construire et construire davantage, malgré le prix excessif du bois. Qu'à cela ne tienne, le port est justement rempli de bois récupérable et plutôt que de les laisser pourrir au fond de l'eau, des ponts entiers et des coques sont démontés et portés à terre pour servir de logements, de saloons et d'entrepôts... de prison, même, comme le bateau " *Euphemia* ", la première prison de San Francisco. Il confie la construction de la scierie à son charpentier James Marshall qui travaille au fort où il répare des chariots, fabrique des métiers à tisser et des charrues. Ce dernier, assisté d'une douzaine d'hommes, débute la construction par un barrage chargé de détourner le cours d'eau.

Les jeunes mains du suisse tiennent solidement le manche de la pioche qui s'abat sur le sol appartenant à un autre suisse, là-bas, en Californie !

Nous sommes le 24 janvier 1848 et ce coup de pioche va provoquer le plus grand mouvement de population depuis les croisades. A la suite de ce fameux coup de pioche, des centaines de milliers d'émigrés vont déferler sur la Californie, et même si la moitié meurt en route, il en reste quand même beaucoup !

Le jeune homme s'appelle Henry Bigler (1815-1900) et il travaille à la construction d'une scierie pour le compte de Sutter à vingt kilomètres de la " Nouvelle Helvétie ".

Au premier essai de mise en marche de la scie, on s'aperçut d'un défaut grave : le bas du canal de fuite n'était pas assez creusé, de sorte que l'eau, arrêtée par un banc de gravier, refluait vers la roue et l'empêchait de tourner.

La seule chose à faire, c'était donc de concentrer pendant plusieurs jours toutes les forces pour approfondir le canal.

La journée finie, on ouvrait les écluses afin que l'eau pût s'écouler et que le courant enlevât le sable et le gravier désagrégés. De cette façon, sans y penser le moins du monde, on avait pratiqué l'extraction de l'or sous sa forme la plus primitive, le lavage.

Le lendemain matin, de très bonne heure, pendant que l'équipe déjeunait encore, Bigler dégringola jusque dans le canal, et, surprise ! Dans les fentes de la roche dénudée, il aperçut quelques petits cailloux luisants qu'il ramassa avec soin et qu'il déposa dans le creux de son chapeau. Un des ouvriers tira de sa bourse une pièce d'or de cinq dollars, qu'il avait économisé sur sa solde ; on compara avec elle les paillettes et les petits grains miroitants. Puis on chauffa un des grains dans le feu, et il en ressortit brillant, sans avoir noirci.

Un autre fut jeté dans de la lessive bouillante que la cuisinière du camp avait préparée pour fabriquer du savon. Le liquide caustique n'attaqua pas non plus le petit grain brillant. Le soir de cette journée sensationnelle, Henry Bigler faisait encore preuve d'une certaine réserve en écrivant dans son journal en date du 19 janvier 1848 : " Aujourd'hui, dans le canal de fuite, on a trouvé une espèce de métal qui ressemble à l'or."

L'or découvert, à quelques 10 kms à l'ouest de la véritable " *Mother Lode* " était de l'or "*placer* ", érodé du filon principal et lavé par le cours d'eau de " *l'American River* ". Trois suisses : Sutter, qui possédait les terres, Kyburz, qui avait découvert Coloma, et Bigler qui avait récolté la première pépite ! Ce sont les trois hommes les plus importants de l'histoire de la découverte de l'or en Californie, même si les honneurs iront à Marshall, le responsable de la construction de la scierie.

Pendant les premières années, on n'a pratiqué que du " *placer mining* ".

C'est un travail dur et pénible : le chercheur d'or se tient dans le ruisseau ou accroupi à côté, et plonge sa batée dans l'eau pour la remonter pleine de terre. Par des mouvements circulaires, il dégage l'or.

Le " truc " est de faire passer le gravier et le sable par-dessus le bord et de garder l'or dans le fond de l'outil

L'or étant huit fois plus lourd que le gravier, les pépites et les paillettes sont déposées sur les lits des cours d'eau, et trouvent leur chemin vers les fentes et les fissures. Peu de morceaux ainsi libérés du rocher sont visibles à la surface.

C'est par pure chance que le suisse Bigler a ainsi aperçu des pépites dans le bief de la scierie : l'eau relâchée par le barrage avait décapé le sol et révélé le dépôt aurifère qui se trouvait dessous.

Dans tout le pays, de San Francisco à Los Angeles, retentit le cri : De l'or ! De l'or !!!

La folie éclate partout : se voyant déjà millionnaires, les habitants de San Francisco ferment leurs magasins, leurs ateliers, s'équipent et partent pour les collines, pour les contreforts de la Sierra Nevada à pied, à cheval, à dos-d'âne, en charrette. Pendant ce temps les champs sont à moitié cultivés, les maisons à moitié construites, tout est laissé à l'abandon, sauf la fabrication des pelles et des pioches...

Tous comptent faire fortune en quelques mois, car chacun sait que les chercheurs sont libres de garder l'or qu'ils ont trouvé, exception à la tradition qui veut que le produit de la mine appartienne au propriétaire du terrain. De toute façon, il y en a assez pour tout le monde et la Californie est en plus connue pour son climat ensoleillé et l'attitude décontractée de ses habitants peu nombreux.

Sutter est désespéré, toute la Californie se rue sur ses terres. Il signale dans son journal que les mineurs avaient volé son bétail, ses peaux, ses tonneaux, qu'ils avaient démonté les cloches de son fort, le poids des portes d'entrée.

Impossible de les maintenir à l'extérieur : ils auraient cassé les portes, impossible aussi de leur parler : il n'y a pas de loi.

Des dizaines de milliers de chercheurs d'or envahissent ses terres. Sutter est obligé d'abandonner son fort et de se retirer dans un ranch plus au nord.

Il doit vendre ses terres, hectare par hectare, pour payer les avocats qui essaient de défendre ses propriétés et lorsque, après de nombreux contrecoups, il voit son habitation détruite par le feu en 1865, il quitte la Californie pour Washington où il reçoit de la part du Congrès une maigre pension en compensation de tous les services rendus.

Vers le milieu de 1849, une forêt flottante de mâts se balance dans la rade de San Francisco ; six cents navires abandonnés pourrissent dans la vase : ils ont vomi sur le rivage quarante mille chercheurs d'or !

En quelques semaines, des milliers d'inconnus traversent les propriétés de John Sutter, s'installent sur ses terres et se précipitent vers l'or, volant et tuant le bétail pour se nourrir, brisant les clôtures, pillant les vergers, les récoltes, les greniers.

La « Nouvelle -Helvétie », ce petit royaume privé, va se trouver dans l'œil du cyclone, au centre de l'intérêt mondial... il va être déstructuré.

Mais Sutter reste sûr de son bon droit : les vandales ont construit San Francisco sur ses terres.

On les expulsera !

On a saccagé ses domaines ? L'Etat paiera !

p. 106

Huit années de démesure et de violence pour huit cents tonnes d'or. Dans cet enfer boueux où il se révèle que les premiers sont effectivement les premiers, les suivants ne ramassent que des miettes.

La recherche de l'or fut une grande loterie, la nature servant de table de jeu.

En 1850, la Californie fait partie de l'Union. Grâce à une discipline sévère, l'ordre règne dans le pays en proie à la fièvre de l'or. La loi reprend ses droits.

Sutter expose ses revendications. Les terrains sur lesquels sont construits San Francisco et Sacramento lui appartiennent de plein droit. Il demande vingt-cinq millions de dollars à l'Etat de Californie. La moitié de l'or trouvé sur ses terres lui revient de droit. Il réclame sa part à l'Union : cinquante millions de dollars.

Un procès commence, procès d'une ampleur telle que l'humanité n'en avait jamais vu de semblable.

Yerba Buena, débaptisée, prit le nom de San Francisco. Et à la Nouvelle-Helvétie, Sutter lui-même fit acte de modernisation en instituant le premier recensement de la population.

Le 2 février 1848, la Californie fut cédée officiellement aux Etats-Unis.

A partir de ce moment-là, les ennuis commencèrent quand on s'aperçut que les relevés topographiques, maintenant si important, des 600 km2 de la Nouvelle-Helvétie du capitaine Vioget étaient erronées. Sa limite sud avait été fixée au 38°49'32" de latitude nord. Or, ce parallèle passe à plusieurs kilomètres au nord de fort Sutter, ce qui exclut la ville de Sacramento. Sur le sol de San Francisco, dont un acte du gouvernement lui a conféré la propriété, une ville pousse avec une rapidité vertigineuse.

Des étrangers se vendent mutuellement ses terres.

Enfin, le 15 mars 1855, le jugement est rendu. L'incorruptible juge Thompson, le plus haut magistrat de la Californie, reconnaît que les droits de Sutter sont entièrement fondés et inviolables.

Le Suisse redevient l'homme le plus riche du monde !

A la nouvelle du jugement, la tempête éclate à San Francisco.

Dix mille propriétaires menacés s'ameutent, ils prennent d'assaut le palais de Justice et l'incendient, veulent lyncher le juge ; puis, la troupe se dirige sur la « Nouvelle-Helvétie », où une vague incendiaire va tout réduire en cendres. Sutter s'en sort de justesse, mais tous ses titres de propriété ont disparu dans la fournaise.

Tout cela s'était abîmé dans la cendre du passé.

A cette époque, Sutter avait à son service une douzaine de ses compatriotes qui occupaient des postes de responsabilité.

Le Soleurois Jakob Wittmer qui, le jour de la fatale découverte, assurait le ravitaillement entre la scierie et le fort et qui, le 8 février, rapporta à Fort Sutter un flacon de poudre d'or de la scierie en payement des fournitures. En rentrant au fort, il utilisa une partie de l'or pour acheter de l'eau-de-vie et bientôt tout le fort connut l'or. Mais l'or est un secret difficile à garder et, les jours suivants, les nouvelles ont commencé à se répandre comme une traînée de poudre. Lienhard, observateur sagace et conteur à la fois véridique et coloré, qui était de service à Fort Sutter de 1846 à 1850, rapporte que les curieux qui discutaient ça et là aboutirent à la conclusion que le jeune Suisse devait avoir découvert un gisement de mercure, comme l'on en avait trouvé un, deux ans auparavant, près de San José.

Heinrich Lienhard (1822-1903), originaire du canton de Glaris, émigre aux Etats-Unis en 1843 à l'âge de 21 ans. Il débarque à la Nouvelle Orléans après cinquante jours de navigation. Il traverse l'Illinois et on le retrouve trois ans plus tard à Saint-Louis où il rencontre deux autres jeunes Suisses : Jacob Dürr (1848-1896) et Heinrich Thoman (qui était un grand gaillard, courageux, fort, et un coureur infatigable), avec lesquels il se prépare à la grande aventure : rejoindre la *Nouvelle-Helvétie* de Sutter en Californie. Six mois d'un voyage à haut risque avec des étapes moyennes de 30 kilomètres en passant par Fort Laramie peuplé principalement de Canadiens français et Fort Bridger qui était un poste de traite. Dans cette course contre la montre, les trois suisses vont établir deux records absolus : ils seront les premiers à traverser le grand désert de sel de l'Utah d'une traite et les seuls à rallier la Californie sans perdre une seule bête pendant le voyage.

En 1846, il n'existait pas encore de piste bien établie pour les émigrés, encore moins pour leur chariots tirés par des bœufs de sorte que la seconde moitié du trajet exigeait le plus grand effort et la plus grande habilité des hommes et des animaux pour traverser les immenses plaines, les deux chaines montagnes et le désert du Grand Lac Salé.

Quatre mois et vingt-trois jours après, Lienhard et ses compagnons atteignent fort Sutter. A son arrivée, il écrira :

" Wenn Du absolut nach Amerika willst, donc gehe in Gottesnamen ! "

(Si vous voulez absolument aller vers l'Ouest, allez-y au nom de Dieu.)

Il entre au service de Sutter avec lequel il entretien rapidement des rapports de confiance et d'amitié jusqu'à devenir son bras droit. Ce dernier lui demande de se rendre en Europe afin d'amener sa famille en Californie.

Lienhard quitte San Francisco le 20 juin 1849 pour se rendre à New York via l'isthme de Panama, puis l'Angleterre, l'Allemagne, et jusqu'en Suisse. Le voyage est périlleux car il emporte sur lui 7.000 dollars en cash.

En reprenant le même itinéraire il échappe par deux fois aux fièvres qui sévissent le long du canal de Panama. Il rentre à San Francisco le 21 janvier 1850 après sept mois de navigation continue.

Puis il quitte définitivement la Californie ravagée par la violence pour rentrer à Zurich où il se marie en 1851.

Mais après avoir vécu intensément toutes ces années d'aventures au Far West, la vie en Suisse lui paraît bien monotone dans un décor étriqué.

En 1854 il repart avec sa femme pour l'Amérique et s'installe dans l'Illinois où il va vivre pendant 47 ans en tant que paysan aisé et citoyen respecté.

Partout où Lienhard se trouvait au cours de ces années de voyage, toute son attention était attirée sur la nature dans sa diversité, sur les paysages, les conditions climatiques, la qualité des sols, les détails géologiques, ainsi que sur les plantes et les animaux qu'il ignorait jusque-là.

Bien plus qu'une histoire d'aventure, ses mémoires sont un récit complexe de la destruction par les Blancs de l'environnement, des animaux, des peuples autochtones et de leurs communautés millénaires.

Samuel Kyburz né à Oberentfelden (AG) en 1810, décédé en 1898 à Clarksville (Californie) à l'âge de 87 ans.

Il arrive à New York en septembre 1833.

A St. Louis, en lisant " *l'American and Swiss Newspaper* " il découvre l'incroyable aventure de Sutter. En avril 1846 lui et sa famille se mettent en route pour la « Nouvelle-Helvétie ".

A Independence, ils achèvent leur liste des fournitures pour traverser la prairie, franchir les Montagnes Rocheuses et la Sierra Nevada avec un chariot tiré par des attelages de bœufs.

Des milliers d'émigrants s'y entassent avant de se lancer dans une course contre la mort vers l'Ouest.

On a souvent dit que Kyburz a été l'homme oublié qui a aidé Sutter à conquérir la Californie.

C'était le plus actif et le moins médiatisé des employés.

Sutter l'engage comme surveillant de ses terres et de son bétail car il voit en lui un homme compétent et fiable.

Il lui confie les clefs du fort dont il ouvre les portes chaque matin et les referme le soir.

Sa femme sera la première femme blanche à s'installer à Fort Sutter.

On a longtemps cru que les membres de la caravane Kyburz étaient des survivants de la caravane du suisse Donner. On sait maintenant que ce n'était pas le cas.

La caravane du bernois Donner était partie deux jours après pour aller se perdre dans les neiges de la Sierra Nevada en écrivant une des plus effroyables tragédies de la conquête de l'Ouest.

Les deux pionniers Suisses travailleront ensemble jusqu'en 1851. Très proche de Sutter, Kyburz a effectué la prospection pour déterminer le meilleur endroit où construire une scierie en découvrant la vallée de Sonoma sur la « *South Fork* » de « *l'American River* » et le site de Coloma.

Kyburz n'était pas venu en Californie à la recherche de l'or. Il était venu avec sa famille pour vivre une nouvelle vie.

La Californie a été un lieu où ses rêves se sont réalisés.

Toute la nation américaine est haletante ce 3 avril 1860 ! A Sacramento, sur les bords du fleuve, la foule a envahi les quais. Elle n'a d'yeux que pour un jeune homme, Billy, qui, nerveux, ne cesse de tourner les rênes de son magnifique coursier. Le bateau venant de San Francisco arrive dans un nuage de vapeur ; Billy s'empare du sac de courrier et John Sutter donne le départ de la plus formidable aventure équestre de tous les temps. Le pari est le suivant : dix jours pour traverser le continent entre Sacramento et Saint Joseph au Missouri ; soit plus de 3000 kms fractionnés en 190 étapes de 16 kms ponctuées par autant de postes avec des chevaux et des cavaliers frais, prêts à prendre le relais.

Ils sont 80 hommes en selle nuit et jour : quarante foncent vers l'Est et quarante vers l'Ouest, et à eux tous ils donnent à 400 chevaux vaillants une vie mouvementée, en leur faisant voir quantités de paysages chaque jour de l'année.

Le pari est tenu : les premiers cavaliers mettent bien dix jours pour accomplir leur course.

Le Pony-Express va nourrir la mythologie de l'Ouest : ses cavaliers vont parcourir plus d'un million de kilomètres et n'égarer qu'un seul sac de courrier ; un seul d'entre eux est tué, par un indien à l'affût, d'une balle à travers sa casaque, mais il continue sa route parce que les coursiers n'ont pas le droit de s'arrêter avant d'être morts.

Pourtant le Pony-Express est condamné : le 24 octobre 1861, la première ligne télégraphique reliant Sacramento à Kansas City entre en service. En quelques impulsions, les communications changent de visage et de rythme. Le premier des milliers de poteaux est planté devant Fort Sutter qui est le premier bureau de poste de l'Ouest.

L'aventure n'aura duré qu'un an avant d'entrer dans la légende !

Les protagonistes du chantier du siècle, la première liaison transcontinentale, sont :

à l'Ouest : la " *Central Pacific Railroad* ", à l'Est : " *l'Union Pacific Railroad* ". Le gouvernement leur verse des subventions selon la longueur de voies construites, modulées d'après la nature du terrain ; avec des dons de terres de part et d'autre de la voie : une bande de 16 kms de large sur laquelle seront construites la majorité des villes... les profits sont colossaux. La transcontinentale n'est pas une voie en acier, c'est une voie en or !

Les premiers rails sont posés devant Fort Sutter en 1863. La Sierra Nevada est franchie à ciel ouvert par le tristement fameux col de Donner, à une altitude de 2500 m au prix de fortes rampes et de courbes très serrées. Les ouvrages d'art sont construits avec les matériaux disponibles sur place : le bois, par une main-d'œuvre importée de Chine car : « Ils ont construit la grande muraille, ils vaincront les Rocheuses » !

Et le chinois endurant, docile, frugale, payé peu cher, logé sous tente, pas d'alcool, pas de femmes, pas de bagarre, juste une petite fumée d'opium de temps en temps, fait merveille d'autant qu'il ne se met jamais en grève ... une vraie bénédiction !

Oui, le chinois est paisible, tranquille, d'humeur égale, toujours sobre.

Un chinois turbulent est rare, et un paresseux, ça n'existe pas.

De plus, il est léger et agile, on peut donc le hisser facilement avec des cordes sur les redoutables falaises de granit à 400 m de hauteur.

C'est ainsi qu'à coups de dynamite et de dizaines de morts, les chinois percent quinze tunnels à travers les Rocheuses. 10000 Chinois seront les esclaves de la *"Central Pacific"* qui triche en exagérant les accidents du terrain.

A l'est aussi les conditions de travail sont très dures ; les « mangeurs de rouille », pour la plupart de jeunes immigrants ramassés sur les quais des ports, sont au travail dès l'aube, du lundi au samedi, quel que soit le temps.

L'ampleur de la tâche dans ces espaces sans fin est titanesque : on boit beaucoup et les bagarres sont fréquentes dans ce chantier en mouvement.

En mai 1869, " *l'Union Pacific* " atteint Laramie (Wyoming), tandis que la "*Central Pacific*" émerge enfin des Sierras à Reno (Nevada). Les deux compagnies entrent dans l'Utah par ses extrémités opposées.

Alors, au début du printemps 1869, dans le désert du Grand Lac Salé, les chinois de la "*Central Pacific*" travaillent à marche forcée et, le 27 avril, établissent un record jamais égalé : 17 kms de voie dans la journée !

Le système des subventions du gouvernement fonctionne si bien que les deux compagnies font semblant de ne pas se voir et continuent leurs routes en s'ignorant.

Il s'en est fallu de peu que les deux tronçons, mal orientés, ne se rejoignent jamais : on allait avoir deux lignes de chemin de fer !

Le président des Etats-Unis pique alors une grosse colère et leur ordonne de se rejoindre.

Le lundi 10 mai 1869 à *Promontory Point*, dans l'Utah, la locomotive « *Roger 119* » de " *l'Union Pacific* ", s'avance lentement vers la « *Jupiter 60* » de la " *Central Pacific* " ...

L'Est rencontre l'Ouest dont la grande solitude renaît à la vie !

Que faire quand vous avez quinze ans en 1854, que vous êtes né en Suisse dans le canton du Tessin et que vous vivez au sein d'une famille modeste dans la vallée de la Leventine ? Quel avenir ? Quel rêve ? Alors, comme il n'arrive jamais de grands événements à ceux qui n'ont rien fait pour les appeler à eux, vous vous embarquez sur un bateau en troisième classe pour l'Amérique avec pour seul bagage un baluchon qui ne contient pas grand chose !

C'est le cas de Luigi DeMartin qui va devenir un des pionniers de la Californie du nord. Le jeune homme débarque dans un premier temps à New York comme tant d'autres. C'est là que débarquent tous les naufragés du vieux monde. Les naufragés, les malheureux, les mécontents, les hommes libres, les insoumis.

Mais le rêve est à l'Ouest ; alors, pour rejoindre la Californie, DeMartin choisit la route la plus courte : l'isthme de Panama.

On y avait construit un chemin de fer, déversé des tonnes et des tonnes de gravier dans les marais, des milliers d'ouvriers y avaient laissé leur peau, mais la voie fût terminée. Alors, on s'entasse dans le petit train de Panama pendant que la locomotive s'époumone dans les marais, sous une lourde buée. Même si les traverses s'enfoncent sous le poids des convois, les trains passent quand même et le voyage est raccourci de quelques semaines. Cinq ans auparavant, un autre suisse, l'ingénieur Berthoud, était sur place dans la chaleur et l'humidité pour surveiller le chantier du canal.

DeMartin débarque à San Francisco devenue une des plus grandes villes d'Amérique. Le petit village de « *Yerba Buena* » a été englouti. De là, il pousse plus au nord jusqu'à la petite ville de Petaluma. En 1874, à l'âge de 35 ans il s'installe à Eureka dans le nord de la Californie.

Trois ans plus tard, il achète un terrain à Wilson Creek et y construit sa « *cabin* » en bois où les « *Coast Redwood* » de 110 mètres de haut ne manquent pas.

En 1889, il bâti un ranch face à l'océan Pacifique qui sert également comme hôtel où les voyageurs payent 50 cents pour la nuit et un repas.

Pour rejoindre sa propriété, DeMartin a quitté Eureka en embarquant à dos de mules sa famille et ses affaires.

C'est une vraie aventure de pionnier qu'il va mener jusqu'à la fin de sa vie à l'âge de 68 ans, avec la seule force de ses bras dans un environnement vierge et sauvage. Son fils Milton DeMartin verra Crescent City pour la première fois à l'âge de quatre ans, le jour de son baptême.

L'histoire de ce Suisse qui a quitté sa patrie adolescent et dont le pont qui traverse Wilson Creek sur la « *Highway 101* » porte son nom est une vraie histoire d'aventure.

Les premiers tessinois à rejoindre la Californie furent Giannini et Delmonico, tous les deux en provenance de la Leventine. Ils vont rejoindre la colonie de la *"Nouvelle-Helvétie "* après un voyage périlleux de sept mois en doublant le Cap Horn. Ils débarquent à San Francisco du *S.S. Brooklyn* le 12 Août 1849.

Un mois plus tard, Angelo Beffa né en 1822 au Tessin arrive à San Francisco où il ouvre un débit d'alcool en peignant le drapeau Suisse sur la porte. Il sera chercheur d'or pendant des années, avant de s'installer à Placer ville jusqu'à sa mort à 72 ans.

Giuseppe Leoni, surnommé " *Tengar* ", originaire de la Valle Maggia quitte les mines d'or en 1856 pour retourner chez lui au Tessin après avoir gagné un pactole de plusieurs milliers de dollars. En 1897 Antonio Tognazzini crée à San Francisco *"The Swiss-American Bank."*

Jacob Kamm (1823-1912), originaire du canton de Glaris, émigre en Amérique avec sa famille en 1831 à l'âge de huit ans. Installé à la Nouvelle-Orléans, il travaille très jeune sur un bateau à vapeur navigant sur le Mississippi. La légende raconte qu'à l'âge de douze ans, ayant perdu son argent de poche, il s'engage comme garçon de cabine sur un bateau à vapeur qui remonte le Mississippi. Il en descend à l'âge de 25 ans avec le grade d'ingénieur en chef.

Il s'élance vers l'Ouest lors de la découverte de l'or en Californie reliant Sacramento à San Francisco avec son bateau à vapeur le *Blackhawk* (faucon noir), avant de naviguer sur la Columbia. Constructeur de bateaux à vapeur, sa succession, au moment de son décès, était évaluée à quatre millions de dollars.

Le suisse est l'une des deux personnalités exceptionnelles dont le " leadership " dans la navigation sur le fleuve Columbia ne sera jamais contesté.

Le bernois Théophile de Rutté émigre en Amérique du sud et débarque en 1846 à Rio de Janeiro le jour de son vingtième anniversaire.

Trois ans plus tard il décide, avec son ami Constant Tissot, de tenter sa chance dans les mines d'or en Californie. Le périlleux voyage autour du Cap Horn jusqu'à San Francisco va durer un an et demi (le canal de Panama n'existant pas à l'époque).

Dès son arrivée, de Rutté se lie d'amitié avec son compatriote John Sutter qui, un an plus tard, écrit une lettre au Conseil fédéral à Berne pour proposer le jeune homme au poste de consul honoraire de Suisse à San Francisco, la plus grande ville de l'Ouest.

De Rutté sera également le fondateur, en 1850, de la Société de Bienfaisance Suisse.

Ses mémoires dressent un portrait fidèle de l'époque de la ruée vers l'or en Californie. Après avoir fait fortune, de Rutté meurt à l'âge de 59 ans.

Il y avait là aussi deux suisses, les frères Pellaton dont l'un tenait à San Francisco l'hôtel de la Croix Fédérale et l'autre exploitait avec d'autres compatriotes une mine de quartz à Nevada City appelée *"Helvetia mine"*.

Située dans les hauteurs de la Sierra Nevada au sommet du Grizzly Ridge, elle va produire un million et demi de dollars entre 1890 et 1914.

Montagnes éventrées, forêts dévastées, torrents détournés, villes abandonnées, brûlées, inondées en 1880, la Sierra Nevada de la ruée vers l'or ressemble à un pays bombardé.

Nevada City une petite ville de trois mille âmes avec ses salles de jeu pleines d'hommes de toutes les nations, des rires, de la musique, des batailles, des fusillades avec un mort à chaque petit déjeuner, bref, tout ce qui illumine et embellit la vie !

p. 136

Autour d'une grande place, pleine de boue et de fondrières, s'élèvent des hangars où les aventuriers viennent jouer et boire. Plusieurs établissements ont fait venir de très loin des filles publiques qui siègent autour des tables, en toilette de gala. La nuit, ces tripots géants éclairent le désordre, l'ivresse; et les chants sont souvent interrompus par des règlements de compte à coup de revolver. Une ville de bois, déguenillée, insolente, sordide, effrénée, étincelante; la liberté absolue, dans son épanouissement le plus sauvage.

Imaginez des centaines de jeunes gens, des athlètes intrépides, débordant de vigueur et d'audace, royalement doués de tout ce qui fait des hommes ; point de vieillards, point d'enfants, rien que des géants qui faisaient des orgies d'or, de whisky et de sang, heureux autant qu'un être libre et fort peut l'être en lâchant la bride à ses instincts les plus effrénés. Des hommes, rien que des hommes.

p. 138

Un matin le bruit se répandit qu'une femme était venue. On avait vu sa robe blanche suspendue à un chariot couvert qui arrivait des grandes plaines. Chacun se précipita vers le lieu indiqué, un long hourrah retentit quand la robe se fut montrée flottante au vent ; mais un émigrant de sexe masculin était seul visible. Les mineurs lui dirent : " Fais-là sortir ! " Il répondit : " Messieurs, c'est ma femme et elle est épuisée, nous avons été volés ; nous demandons à nous reposer. " "Qu'elle sorte ! Nous sommes venus pour la voir." Il obéit, et tous les chapeaux volèrent en l'air, et trois vivats éclatèrent, suivis d'un rugissement de tigre, et ils se pressèrent autour de la pauvre créature, la regardant, touchant sa robe, écoutant sa voix, comme des hommes qui sont tout à un souvenir plutôt qu'à la réalité, puis ils réunirent cent vingt-cinq dollars d'or, les donnèrent à l'homme, et, secouant leurs chapeaux une seconde fois, poussant trois nouveaux vivats, ils s'en allèrent satisfaits.

La découverte la plus spectaculaire, après celle de Sutter, a lieu sur le versant oriental de la Sierra Nevada au printemps 1859 : le filon le plus productif de l'Ouest. Résultat, dix mille mineurs s'abattent sur la région, et des milliers de tonnes d'argent sortent des mines. A Virginia-City il y avait du bruit, du mouvement, des rues encombrées d'une si longue procession de chariots, qu'on était forcé parfois d'attendre une demi-heure pour traverser la rue principale. Et les constructions rapides, légères, de bois ou de brique, qui se dressaient en un clin d'œil sous les noms de banques, d'hôtels, de théâtres, de prisons, de cafés, de maisons de jeux. Et les rixes continuelles que ne parvenait pas à empêcher la police. Elle avait ses journaux, ses compagnies d'assurances, sa milice de volontaires, sa banque, ses hôtels, ses tripots remplis de fumée et d'hommes barbus de toute nation assemblés autour de tables de jeux où s'entassait de la poussière d'or.

Elle contenait tant de travail, de gaîté, de musique, de fêtes, de combats, de meurtres. Il y avait une enquête pour coups de couteau ou de revolver presque chaque matin avant le déjeuner. Enfin, on ne manquait de rien de ce qui embellit l'existence, de ce qui contribue à la prospérité d'une jeune ville pleine de promesses. La prospérité y est extraordinaire ; en 1872, c'est une des villes les plus dynamiques de l'Ouest, avec 20000 habitants.

Cette année là, la communauté suisse fête le premier août avec vingt deux coups de canon, un repas, une soirée dansante et des discours !

Les saloons sont remplis à craquer, de même que les bordels et la prison ; signes infaillibles de grande prospérité dans une ville minière.

Les huit premiers morts de Virginia City l'ont été de mort violente.

Ce fut encore un Suisse, du canton de Vaud, qui fit la découverte la plus importante de la ruée vers l'or : il s'aperçut le premier, en juin 1849, que dans ce pays privilégié l'or ne se trouve pas seulement dans la terre et aux bords des rivières, mais qu'il se trouve également, partie inhérente du quartz, qui forme en maints endroits la base des montagnes californiennes.

Seulement, pour pouvoir s'approprier le précieux métal, ainsi fusionné dans la pierre, la force des bras ne suffisait plus et il fallut songer à des moyens plus puissants.

L'heureux mineur helvétique se contenta donc de faire constater ses droits au filon qu'il avait découvert, puis il se procura, au moyen de son marteau, quelques spécimens de quartz aurifère avec lesquels il descendit à San Francisco. Là, moyennant une large part dans les bénéfices, il forma une compagnie par actions.

En 1850, la Californie entre régulièrement dans la confédération des Etats-Unis comme 31ème état avec Sacramento comme capitale.

Une cérémonie à grand spectacle se déroule le 6 septembre 1854 à San Francisco pour le quatrième anniversaire.

Au son des fanfares et des salves de canon, monté sur un superbe destrier, l'allure conquérante à la tête du premier régiment californien, de sa cavalerie et de son artillerie, le Général Sutter, emblème du pays, traverse les rues de cette grande ville qu'il avait connue petit hameau quinze ans auparavant.

Depuis longtemps, Sutter était connu dans l'Ouest comme l'homme qui avait fait avancer la frontière des bords du Missouri à ceux du Sacramento.

Plus que tout autre, il aura été la manifestation vivante de la destinée Américaine d'expansion à travers le continent.

En dix années, par son labeur de colon, il aura réalisé des travaux que bien peu d'hommes seraient capables d'accomplir.

« Un filon d'or ne vaut pas dix ans de travail, douze mille moutons, quatre mille bœufs, quinze cents vaches et autant de chevaux, sans compter les moissons qui ondulent à l'infini ! »

Les villes de San Francisco et Sacramento sont toujours édifiées sur le bien d'autrui... le sien !

En 1876, à l'Exposition Universelle de Philadelphie, l'homme qui serre les mains en tant que président de la journée suisse, c'est ... John Sutter !

Un visage prématurément vieilli encadré de favoris gris, un front vaste qui donne l'impression d'une grande puissance intellectuelle.

De sa moustache soigneusement coupée, il parle :

« Je garde espoir ».

Et d'ajouter, avec ses yeux d'un bleu très clair :

« Je vais présenter une nouvelle requête au Congrès ».

Puis, en s'appuyant sur sa canne à pommeau d'or, il s'en va d'un air noble et distingué.

C'est une ombre énorme qui, à mesure qu'elle s'éloigne, ne cesse de grandir.

Pour les suisses, Sutter reste un livre scellé, un volume avec des chapitres et des images rares et précieuses, mais dont on ne connaît guère que le titre.

Ainsi, se terminèrent les aventures terrestres d'une des figures humaines les plus attachantes. Avec lui, meurt le dernier héros romantique et le dernier pionnier colonisateur de l'Amérique.

Beaucoup de ceux qui entendent l'histoire de Sutter s'étonnent qu'un tel gaillard puisse être issu du sol de l'Helvétie.

Sa succession reste ouverte.

Tous les deux ou trois ans, des descendants plus ou moins éloignés intentent un nouveau procès à Sacramento dans l'espoir de retirer du sépulcre de la *Nouvelle-Helvétie* au moins une petite poignée d'or.

Dans Sacramento, capitale de la Californie, dont il dressa les plans en 1849, on lui a élevé le monument qui lui convient et reconstruit Fort Sutter à l'identique.

Tous les livres des écoliers américains mentionnent le nom de Sutter.

Et en Suisse ?

Sans doute ces Messieurs de Berne ne lui ont-ils toujours pas pardonné d'être parti en oubliant de régler une ardoise à la Caisse d'Epargne de Sumiswald.

Par sa réussite, il aura démontré que, outremer, l'énergie d'un individu a une autre valeur que dans son pays d'origine.

5

LIEB

Il existe un fleuve en Amérique, un fleuve immense qui déroule ses méandres majestueux et tentaculaires du Minnesota au Golfe du Mexique ; ce fleuve porte un nom mythique, le Mississippi. En Louisiane, sur sa rive Ouest, vingt kilomètres au nord de Vicksburg, les communautés venues d'Europe ont planté du coton et du maïs. Lovés dans sa courbe, ils ont créé un village qu'ils ont appelé « *Milliken* ».

Ce bourg était prospère et comptait même une épicerie fine avec notamment des produits importés de France. Plusieurs centaines d'esclaves noirs travaillaient dans les plantations. Ils composaient la très grande majorité de la population. « *Milliken* » n'existe plus aujourd'hui, une crue du grand fleuve l'ayant emportée. Elle n'a jamais été reconstruite. Son histoire a sombré dans les profondeurs de l'oubli. Mais l'anse du Mississippi à cet endroit s'appelle toujours « *Milliken Bend* » (l'anse de Milliken). Nous sommes en mai 1863, un léger vent parfume l'air. Un cavalier apparaît au loin et arpente la rive droite du Mississippi à la hauteur de Milliken. Le jour pointe et les étoiles pâlissent une à une dans le ciel coloré. L'homme porte avec majesté la tunique bleue de l'armée nordiste. A travers la lumière naissante, on distingue des galons tout neufs de colonel et, accroché au flanc de sa monture, le fanion du 9ème régiment de Louisiane.

Cet homme s'appelle Hermann Lieb et est né en Thurgovie, canton suisse en 1826. Après des études en Suisse et en France, il émigre en Amérique à l'âge de vingt-six ans pour parfaire ses études de droit et s'installe dans l'Illinois.

Dès le début de la guerre de Sécession en 1861, Lieb s'engage comme volontaire dans le 8ème d'Infanterie de l'Illinois. Trilingue, parlant parfaitement l'allemand, le français et l'anglais, le Suisse est affecté aux services de recrutement.

De plus, en tant que gradé dans l'armée suisse, il possède une solide formation militaire, ce qui lui permet de gravir rapidement les grades de l'armée de l'Union jusqu'à être promu colonel en avril 1863. Cependant, le jeune colonel Lieb n'a pas de commandement, car il n'est pas né en Amérique et ne sort pas du sérail de la prestigieuse école militaire américaine de *West Point*.

Il observe et analyse finement ce conflit qui est en train de changer inexorablement. Jusqu'à présent, toutes les batailles se sont déroulées en terrain ouvert avec des mouvements d'infanterie et des charges de cavalerie. A partir de ce printemps 1863, les choses changent radicalement, le front se fixe car les Sudistes se retranchent. Cette guerre de tranchées préfigure ce que sera le prochain grand conflit de 14-18 en Europe.

Depuis le 18 mai, trente mille Sudistes sont retranchés à l'intérieur des lignes défensives autour de la ville de Vicksburg. Les Nordistes sont deux fois plus nombreux mais toutes les tentatives de les déloger ont échoué.

Il faut dire que la ligne de défense autour de Vicksburg longue de 10 km, basée en terrain difficile à gravir sous le feu ennemi, est presque inexpugnable. Les Nordistes décident donc d'assiéger la ville à compter du 25 mai.

Depuis lors, tous les matins dès l'aube, le colonel Lieb arpente inlassablement la rive droite du majestueux Mississippi, convaincu que les Confédérés tenteront une action pour briser l'encerclement de Vicksburg. Mais où vont-ils traverser ?

Méthodiquement, il continue d'arpenter les berges du grand fleuve jusqu'à en conclure que si les Sudistes tentent de traverser, ce sera à « *Milliken Bend* » car c'est là que le niveau du fleuve est le plus bas. Il rédige donc un rapport en ce sens au général Grant commandant en chef des armées nordistes en suggérant de poster des troupes à la hauteur de *Milliken*. La réponse de Grant est sans appel : toutes les forces de l'Union sont déployées pour l'encerclement de Vicksburg. Lieb réalise alors que le 90 % de la population dans cette partie de la Louisiane est composée de noirs, anciens esclaves libérés au fur et à mesure de l'avancement des troupes Nordistes.

Le Suisse a une idée qui va bouleverser la conduite de la guerre. Il rédige un nouveau rapport destiné au général Grant en proposant d'enrôler ces noirs dans les rangs de l'armée de l'Union. L'idée serait de créer un nouveau régiment les affectant. La réponse de Grant est laconique : si ce suisse veut engager des troupes noires le long du Mississippi, qu'il le fasse mais il n'a pratiquement aucun équipement à lui fournir.

Malgré le scepticisme de l'état-major, Lieb fonde le « *9ème Louisiana Infantry, African Descent* » doté d'une centaine d'archaïques fusils belges qui, bien qu'étant de gros calibre, avaient la particularité de tirer soit au ciel, soit dans le sol.

A noter que tous les noirs enrôlés sont volontaires et aucun d'entre eux ne désertera. Etant donné les circonstances particulières, il s'agissait là bien entendu du maillon le plus faible de toute l'armée Nordiste.

Mais ces nouvelles recrues, bien que formées à la va-vite et sous-équipées connaissent bien le terrain des hostilités. Dès qu'ils eurent connaissance de la formation de ce nouveau régiment, les Sudistes vont mettre la tête de Lieb à prix, annonçant que s'il était capturé, il ne serait pas considéré comme prisonnier de guerre, mais bel et bien passé par les armes.

Quoiqu'en grand danger, l'homme garda son poste avec courage et ténacité. De leur côté, les Confédérés se préparaient à l'attaque avec des drapeaux noirs, héritage de l'époque des pirates et autres corsaires, qui symbolisaient que le combat se ferait sans faire de prisonniers.

Le Suisse avait vu juste ! Aux cris de « *Pas de quartier* », le dimanche 7 juin 1863, cinq mille Sudistes déboulent sur *Milliken* avec la ferme intention d'anéantir ce qu'ils appellent « *The Gospel Army* » convaincus que « *The niggers wont fight* ».

Avec à peine un millier de soldats noirs formés sur le tas, mal équipés. Lieb ne partait pas avec les faveurs de la cote.

Il dispose ses hommes en utilisant la berge du fleuve comme remblai naturel avec devant un terrain plat de 150 m. Il explique à ses combattants que le plus important est de résister à la tentation de tirer trop tôt car, à cause de leur manque de formation, ils seraient incapables de recharger assez rapidement.

Lieb se souvient de Fontenoy, ce hameau en Belgique où, en 1745, les mercenaires suisses avaient sauvé la mise à Louis XV face aux Anglais grâce à une tactique aussi meurtrière qu'efficace. Rester alignés, intrépides face à l'ennemi et le laisser tirer le premier sans riposter.

Face aux troupes Sudistes, il dispose ses hommes sur trois rangs. Le premier est sacrifié, anéanti par la fusillade, le second, faiblement armé, tire à bout portant.

Le troisième rang s'engouffre alors dans la brèche pour finir le travail « à l'africaine », sur des ennemis occupés à recharger leur fusil. La bataille se transforme en un horrible corps à corps, le pire de tout le conflit, où les noirs matraquent à coups de crosse l'ennemi avec une férocité inouïe.

Dans un bain de sang atroce, la baïonnette sera leur seule arme pour cette lutte désespérée. Ils ne tomberont qu'après l'avoir cassée en trois morceaux. Les hommes blancs et noirs étaient couchés côte à côte, transpercés par les baïonnettes, et, dans certains cas, fixés au sol. Deux hommes, l'un blanc et l'autre noir, retrouvés morts, côte à côte, chacun ayant l'autre baïonnette au travers du corps.

Les Sudistes, avec rage et détermination, lancent plusieurs vagues d'assauts pour essayer de pousser les troupes noires dans le fleuve, mais les hommes de Lieb ne cèdent pas un pouce de terrain.

Milliken devient un bain de sang ! D'un côté la haine d'une race et de l'autre le désir d'auto-préservation du passé.

Face à l'héroïsme de Lieb et de ses hommes, les Sudistes se retirent. Le général qui les commandait déclarant que ces noirs avec leurs baïonnettes avaient commencé à lui taper sur les nerfs. La moitié des hommes de Lieb sont morts ou gravement blessés, la plus grande proportion pour une seule bataille de toute la guerre de Sécession. C'est le prix à payer pour passer de l'esclavage à la liberté, car les noirs voyaient leur enrôlement comme une étape vers leur émancipation et leur intégration : « *I never more wish to hear the expression, « The niggers wont fight."*

Pendant cette bataille, Lieb est grièvement blessé à la cuisse. Le chirurgien ne pouvant extraire la balle, il la gardera sur lui jusqu'à sa mort en 1908.

Il sera déclaré : « *The bravest of the brave* ».

Le courage des noirs de Lieb va complètement révolutionner le sentiment de l'armée en ce qui concerne l'emploi de « *Colored Troops* ».

La tentative Sudiste de briser le siège de Vicksburg avait échoué. La ville capitule après quarante jours de siège le 4 juillet 1863. Les Nordistes vont faire trente mille prisonniers. La reddition des Confédérés à la suite du siège de Vicksburg ainsi que la défaite du général Lee à Gettysburg le mois suivant sonnent comme le tournant de la guerre.

Le général suisse a gagné la bataille de « *Milliken Bend* ».

Certes, il n'a pas gagné la guerre de Sécession à lui tout seul, mais il aura prouvé que des soldats de couleur, bien encadrés, pourront fournir les forces neuves qui permettront au Nord de vaincre la guerre civile.

6

WIRZ

Henry Wirz, lui, quitte sa ville natale de Zurich en 1849 à l'âge de 27 ans.

Avec en poche des diplômes en médecine délivrés par les universités de Zurich, Paris et Berlin il s'installe comme praticien en Louisiane où il se marie.

En avril 1861, lorsque la guerre de Sécession éclate, il s'engage au côté des Sudistes dans le :

« *Louisiane Volunteers* ».

Pennsylvanie, le 3 juillet 1863. D'un côté, le général nordiste George Meade, de l'autre, le général sudiste Robert Lee qui vont s'affronter. En tout, plus de 165'000 hommes sur le champ de Gettysburg.

Pendant la bataille, il fait partie du spectaculaire assaut connu sous le nom de « *Pickett's Charge* », de 12'500 fantassins sudistes contre le centre de la ligne de défense des Nordistes. Ils quittent la lisière des bois et entament leur marche vers les positions ennemies sous le feu des canons.

Cette charge est considérée aujourd'hui comme une erreur stratégique majeure qui aurait pu être évitée et qui a pénalisé de manière décisive l'effort de guerre sudiste, les Confédérés ne s'étant jamais remis psychologiquement de cet échec cinglant.

Wirz doit d'abord traverser un champ à découvert sous le feu nourri des fusils et des canons de l'Union.

Il parvient à atteindre le mur de pierres derrière lequel les défenseurs nordistes tiennent leur ligne, mais il est blessé au bras.

En ce mercredi d'été, gravement atteint, il va rester deux jours et deux nuits couché sur le sol en attendant les secours car, très vite, les médecins sont dépassés.

Il sera sauvé par ce phénomène étrange qui porte le surnom de « *Angel's Glow* » (le rayonnement des anges) et qui fait rayonner les blessures d'une lueur bleue dans l'obscurité du champ de bataille.

Il s'agit de bactéries qui entrent dans les blessures à partir du sol et qui tuent les agents pathogènes responsables de l'infection des dites blessures.

Ces bactéries n'auront pas seulement illuminé les blessures du Suisse, mais lui auront sauvé la vie.

Finalement, transporté dans un hôpital de campagne, Wirz réussi à survivre mais malheureusement perd l'usage de son bras droit.

Après trois jours de combat et 50 000 hommes au tapis équitablement répartis des deux côtés, les deux belligérants se préparent à évacuer leurs blessés et enterrer leurs morts.

Bien que certains considèrent qu'en réalité ce sont les Sudistes qui ont remporté la bataille : « *The charm of Robert Lee's invincibility is broken* »

Au même instant, à Milliken, un doute s'installe : que sont devenus les prisonniers noirs capturés par les Sudistes. C'est alors que le colonel Hermann Lieb rédige son rapport :

« *I have ample proof to convince me, that black crime of murder on a prisoner of war has been committed* "

Avec cette déclaration, sans le savoir, Lieb va causer la perte de son compatriote Wirz : deux suisses, dans deux camps opposés, noués par un destin tragique. Deux émigrés qui pour les vainqueurs de la guerre de Sécession vont incarner l'Honneur et la Honte !

Ironie du sort : bien que de la même tranche d'âge, les deux hommes ne se rencontreront jamais.

Lorsque Lee propose un échange de prisonniers, Grant refuse en mettant en évidence l'exécution des prisonniers noirs par les Confédérés à Milliken, ce qui va avoir des conséquences tragiques pour la suite car l'armée sudiste a échappé à la destruction et la guerre va continuer pendant deux longues années encore.

Wirz est alors nommé commandant du nouveau camp de prisonniers de grande envergure « *Camp Sumter* » à l'Est d'Andersonville en Géorgie.

p. 170

Les prisonniers nordistes en augmentation rapide sont entassés à ciel ouvert dans des conditions de malnutrition et d'hygiène précaires.

Mais que s'est-il réellement passé à Andersonville ?

Voilà un sujet constamment débattu !

Qui est responsable ?

Tout le monde !

Les Sudistes arrivant à peine à se nourrir eux-mêmes ? Les Nordistes détruisant les récoltes dans le Sud ? Les deux parties ayant mis fin à l'échange de prisonniers ? Tout un questionnement.

C'est un enchaînement d'événements qui a fait que tant d'hommes sont morts de malnutrition et de maladies. En quatorze mois d'existence, à partir de février 1864, 45'000 prisonniers ont passé la porte de la prison d'Andersonville, 13000 n'ont jamais retrouvé la liberté.

BIRD'S-EYE VIEW OF ANDERSONVILLE PRISON FROM THE SOUTH-EAST.

Henry Wirz n'était ni un monstre ni un sadique, mais il avait un accent étranger (il parlait l'allemand, le français et l'anglais) et était le commandant du camp. Il aura été le meilleur bouc émissaire.

Les conditions de vie se dégradent si rapidement qu'en juillet 1864, le commandant du camp Wirz demande à l'Union de rétablir l'échange de prisonniers entre le Nord et le Sud. La requête est rejetée.

Arrêté à la fin de la guerre, le suisse est inculpé et condamné pour conspiration de meurtre. Son procès est le premier du genre et sa condamnation par un tribunal militaire va susciter une importante controverse. Après une parodie de procès, Wirz est pendu à Washington en 1865 à quarante-deux ans.

Il est la seule personnalité officielle confédérée à avoir été condamnée pour « crimes de guerre ».

Wirz était médecin depuis plus de dix ans : même avec un bras droit handicapé, il aurait pu rendre de grands services à son pays d'adoption dans un hôpital de l'arrière, au lieu de rester geôlier d'un mouroir.

Un major nordiste lui a lu son arrêt de mort en déclarant qu'il déplorait cette obligation. A quoi Wirz a répondu en retour qu'il savait ce que sont les ordres, car il allait être pendu pour ça. La pendaison s'est mal passée et il lui aura fallu plus de deux minutes pour mourir pendant que les soldats de l'Union qui entouraient la potence scandaient à tue-tête :« *Wirz, souviens-toi d'Andersonville* »

Le Suisse était un homme d'honneur. Un pardon lui a été offert la nuit qui a précédé son exécution, s'il acceptait de faire une déclaration impliquant Jefferson Davis et d'autres dirigeants confédérés dans des accusations de complot.

Même s'il avait pu sauver sa vie, le capitaine Wirz aurait refusé de le faire.

On sait aujourd'hui que les horreurs d'Andersonville étaient avant tout dues à l'effondrement de l'économie sudiste. La mort de neuf prisonniers sur dix était quant à elle due au scorbut.

Henry Wirz a toujours été considéré comme un héros et un martyr par les Sudistes.

Il sera réhabilité en 1908 à Andersonville :

« Entendu que le capitaine Henry Wirz, commandant de la prison militaire d'Andersonville en Géorgie a été assassiné judiciairement sous de fausses accusations de cruauté envers les prisonniers. »

Tous les ans, le 10 novembre, les habitants d'Andersonville marchent jusqu'à son mémorial où, à 10h30m heure de son exécution, un garde sudiste lui rend les honneurs sur sa tombe.

La prison militaire « *Camp Sumter* » d'Andersonville près d'Americus en Géorgie est considérée comme le lieu le plus hanté des Etats-Unis.

On sait depuis longtemps que les lieux chargés de grandes souffrances et de mort sont propices aux activités paranormales et aux fantômes. Le cimetière abrite 13'714 tombes d'anciens soldats de l'Union.

Andersonville a été le lieu d'une des plus grandes tragédies de la guerre de Sécession. L'énergie émotionnelle qui se dégage de ces grandes souffrances humaines peuple l'endroit d'esprits qui rôdent encore le long de la Route 49 mènant au camp, une des routes les moins fréquentées de Géorgie, et ceci plusieurs décennies après tous ces décès. Ce qui se passe à Andersonville est bien plus qu'une légende, c'est un intense concentré de complaintes :

« *Life breeds in hell* »

Des voix et des appels de détresse emplissent les forêts aux alentours, des formes humaines fantomatiques apparaissent, puis s'évanouissent. Une odeur nauséabonde de restes humains flotte dans l'air.

Il est très difficile de prendre une photo de ces phénomènes étranges, car ils se produisent le plus souvent lorsque le brouillard recouvre le site, surtout en été après un orage en soirée.

De plus, il se produit une chose étrange à laquelle des dizaines de personnes ont été confrontées : les batteries des appareils de photos et des caméras vidéo se déchargent ainsi que les accus de rechange. Toutes leurs énergies sont comme aspirées en un instant. Et pourtant, toutes ces personnes ont vu plusieurs soldats en filigrane portant l'uniforme sudiste discuter debout au bord du cimetière puis disparaître dès qu'on s'en approchait.

Mais les phénomènes les plus troublants sont des visions de visiteurs qui voient la prison comme elle était par le passé.

Il s'agit d'un voyage dans le temps pour revenir à l'instant où la prison était en activité. Quand le brouillard est épais, des grognements et des hurlements d'hommes se font entendre. Puis d'autres bruits tel un grand tumulte de personnes parlant toutes à la fois retentit quand le soleil disparaît. Et, venue du sol, toujours cette odeur nauséabonde qui flotte dans l'air telle une brume digne des meilleurs films d'épouvante.

Un homme sans jambes est souvent aperçu dans la région. Il est presque toujours décrit exactement de la même manière. Il se déplace par lévitation. Une femme vêtue de noir se déplace parmi les tombes et elle semble chercher quelque chose ou quelqu'un. Puis, elle disparaît dans un halo de lumière.

Toujours les soirs de brume, il est fréquent d'entrevoir une ombre vêtue de noir arpenter le cimetière. C'est le fantôme du Père Whelan, prêtre catholique et aumônier qui faisait ce qu'il pouvait pour réconforter les détenus en bon samaritain qu'il était. Lui aussi est toujours décrit de la même manière : tête très large, petit corps et longs bras pendant jusqu'aux genoux. Il a été la seule planche de salut pour tous les prisonniers auxquels il offrait des paroles de réconfort. Sa cabane en dehors du camp a été l'unique rayon d'espérance de vie avant de recevoir les derniers sacrements.

Etonnamment, l'une des personnes qui a témoigné en faveur de Wirz considéré comme une incarnation du diable lors de son procès, n'était autre que le Père Peter Whelan.

Plusieurs milliers de personnes sont mortes sur une surface d'un kilomètre carré. Plusieurs milliers d'esprits aussi demeurent sur ce terrain.

Ce n'est dès lors pas étonnant que l'endroit recèle tant d'effets paranormaux. Le lieu se souvient des événements et, périodiquement, les restitue sous la forme d'une rencontre fantomatique comme un linceul couvrant sur le sol où sont tombés ceux qui ne doivent jamais être oubliés.

Lorsque le brouillard tombe en cascades sur le terrain de la prison, vous êtes envahis par un sentiment de peur immense, car le sol recèle les vibrations négatives d'un lieu maudit.

Les misères que ces hommes ont endurées depuis longtemps restent gravées dans le paysage pour toujours. Il y a peu de bruits de faune, car les oiseaux ne traversent pas la cour de la prison. Les corbeaux restent postés sur les bords de la zone à l'abri des arbres.

On estime que les corbeaux peuvent voir dans le passé, voir la mort et en garder le souvenir.

Il y a une empreinte spirituelle profonde à Andersonville.

Les hommes qui sont morts ici ont été inhumés physiquement, mais leur esprit ne peut trouver le repos éternel.

Des images blanches, pâles, de soldats de l'Union, des hommes abattus, regardant devant le regard vide, leurs uniformes fanés, déchirés en lambeaux, leurs pieds soulevant la poussière lors d'une marche fantomatique dans une odeur de chair humaine pourrie, de matières fécales, d'urine, de sueur et de vermine, voilà le tableau qui mobilise l'esprit du visiteur.

Mais l'apparition la plus précise est celle du fantôme du capitaine Wirz qui hante toujours Andersonville.

Parmi toutes ces vibrations négatives, l'émergence la plus fréquente à travers le ciel de Géorgie reste celle du suisse.

Nombreuses sont les personnes qui ont aperçu son fantôme marchant le long de la route 49 près du cimetière une casquette vissée sur la tête, dans son uniforme délavé. Si vous vous arrêtez pour entrer en relation avec lui... il disparaît. Après son exécution, le cadavre de Wirz a été mutilé, puis découpé en morceaux qui ont été envoyés aux quatre coins du pays pour calmer l'hystérie populaire.

C'est pour cette raison que son spectre hante le site. Son esprit n'ayant pas trouvé le repos, il est condamné à errer éternellement, son corps ne pouvant être recomposé car sa tête n'a jamais été retrouvée.

Nous avons le plus grand respect pour tous ceux qui ont souffert et sont morts là-bas. Ce sentiment d'angoisse donne aux esprits d'Andersonville leur énergie persistante car ce n'est pas souvent que l'on peut toucher une fenêtre ouverte sur le passé.

p. 184

7

LONG

Début 1855, à Zurich, une quinzaine de familles suisses se réunissent pour le grand départ vers une région reculée du continent américain. Parmi eux, Benjamin Lang âgé de dix-sept ans. Ces idéalistes émigrent vers un nouvel Eldorado : le Texas, où ils arrivent le 26 Avril.

C'est là, sur un plateau, de l'autre côté du cours d'eau qui arrose Dallas, petite localité à la limite des terres colonisées, que l'idéal sociétaire des colons va se réaliser.

Cette colonie utopique prône une production et une distribution en commun pour le profit de tous. Contrairement à d'autres systèmes de vie communautaire le droit de vote est accordé aux femmes et la propriété individuelle autorisée.

Mais leurs métiers d'artisans qualifiés ou d'horlogers ont mal préparé ces suisses à subvenir à leurs besoins pour démarrer la colonie. Leur adversaire le plus sérieux sera le climat du Texas avec ses gelées tardives en mai, ses étés torrides suivies d'invasions de sauterelles qui détruisent ce qui reste des récoltes.

Quand ils réussissent tant bien que mal à faire pousser du blé et des légumes, la production se révèle insuffisante.

En 1862 Lang se marie et s'installe à l'est de Dallas pendant que la ville en pleine expansion absorbe la colonie qui se termine par un cuisant échec.

Les historiens estiment que les colons suisses comme Lang ont joué par la suite un rôle majeur dans l'essor de la ville car il y avait parmi eux des gens de talent.

Lorsque la Guerre de Sécession éclate, ils s'efforcèrent de ne pas prendre parti. Lang change l'orthographe de son nom en Long et s'installe à Mexico pour éviter de prendre part aux hostilités.

Après la guerre, la politique dite de reconstruction favorise les non-engagés à accéder à des fonctions municipales.

Long est nommé maire de Dallas par le gouvernement militaire à Austin en 1868. Il devient citoyen américain en 1869.

En 1870, il démissionne de son mandat de maire pour revenir en Suisse, où il encourage l'immigration au Texas. Il est réélu maire de Dallas à son retour en 1872.

Le 23 juin 1877, Benjamin Long est assassiné par un client dans un *saloon* !

p. 188

8

MEDAL OF HONOR

Début 1862, un vapeur américain cingle du Havre vers New York. Parmi la foule, George Ernest Veuve, âgé de dix-huit ans quitte seul son village natal de Cernier dans le canton de Neuchâtel avec en poche un diplôme de chaudronnier. Le port de New-York, c'est là que les émigrants débarquent jour et nuit, et dans chaque bateau, dans chaque cargaison humaine, il y a au moins un représentant de la forte race des aventuriers.

Heureusement, la guerre civile touche à sa fin et, un an après, Veuve s'enrôle dans l'armée régulière des Etats Unis où il est affecté au « *16 th U .S. Infantry* » ; puis, dans le « *4 th U.S. Cavalry* » engagé dans les guerres indiennes à la frontière de l'Ouest.

Stationné à fort Concho au Texas, il y est décrit comme étant un homme de confiance, courageux et intelligent, parlant parfaitement le français, l'anglais et l'espagnol.

Il devient vite un des meilleurs éclaireurs de l'armée dans les grandes plaines de l'Ouest, les « *Staked Plains* » qui représentent un océan de prairies sans arbres ni points d'eau, à cheval entre le Nouveau Mexique et le Texas.

C'est le territoire des *Apaches* et des *Comanches* qui sert d'ultime refuge aux derniers indiens qui refusent de se faire enfermer dans les réserves d'Oklahoma.

Dans ces régions qui se perdent à l'infini, la cavalerie U.S. a beaucoup de mal à manœuvrer car les peaux-rouges disparaissent rapidement dans des labyrinthes de canyons. En 1872, Veuve participe à divers accrochages avec les Indiens à « *Red River* », « *Tule Canyon* » et, en 1874, à « *Palo Duro Canyon* » où il se trouve seul un soir, posté en sentinelle derrière des rochers à l'entrée d'un canyon. A la tombée du jour, les « *Cheyennes* » lancent une grande attaque pour atteindre le campement du $4^{\text{ème}}$ de cavalerie. Une quarantaine de guerriers Indiens déboulent dans sa direction.

Faisant preuve d'un sang froid remarquable, Veuve garde sa position jusqu'au moment où les Cheyennes arrivent droit sur lui. C'est alors seulement qu'il se relève, ouvre le feu, et abat les trois chevaux de tête qui viennent bloquer l'entrée du canyon. L'attaque surprise ayant échouée, les indiens se dispersent.

Le 3 novembre de la même année, Veuve part en exploration avec un autre cavalier loin devant le gros des troupes sur la rive ouest du « *Double Lake* » au Texas. Ils se retrouvent face à face avec une bande de « *Comanches* » sur le pied de guerre.

Veuve ordonne à son compagnon de retourner informer le détachement de cavalerie.

Il affronte alors seul les Indiens. De loin, il en tue un avec son fusil ; de près il en abat un deuxième avec son revolver puis lance son cheval sur un troisième, saute sur lui et le désarçonne.

Les deux hommes roulent à terre dans un combat à mains nues, dans un combat au corps à corps, dans un combat mortel au cours duquel Veuve a le dessus.

Surpris par tant de courage et de bravoure, le reste de la bande hésite, puis se disperse.

L'intrépide chaudronnier de Neuchâtel a trente et un ans et, en ce jour, il vient de conquérir les plaines de l'Ouest, ce qui lui vaudra d'être décoré de la « *Medal of Honor* » avec la mention :

« *Running down and killing an Indian on the Staked Plains with no other soldier within a long distance of him* »

Après cet acte de bravoure, Veuve est transféré à Fort Missoula dans le Montana où il s'illustre encore par sa détermination et son courage à « *Clearwater River* ». Ce sera son dernier combat.

En son honneur, le « *U.S. Army Reserve Training Center* » de Fort Missoula porte son nom.

La même année 1872, un autre suisse est décoré de la « *Medal of Honor* » pour son combat contre les Apaches en Arizona.

Il s'agit de Rudolph Stauffer né à Berne en 1836 qui émigre aux Etats-Unis pour s'installer à Cincinnati. A l'âge de dix-neuf ans, il s'engage dans le 5ème régiment de cavalerie au sein duquel il passera toute sa vie. Le Suisse sera l'archétype du sergent de cavalerie : un « dur à cuir ».

Pendant les guerres Apaches, il est en poste à « Fort Hualpai » en Arizona. Stauffer sera cité pour sa bravoure, lors d'un accrochage très violent avec une bande d'Apaches voleurs de bétail. Le détachement de cavalerie dirigé par le suisse aura deux hommes blessés dans l'affrontement qui fera quatre victimes côté indien. Stauffer est alors transféré à « Fort Verde » toujours en Arizona où il s'illustre dans un autre engagement avec les Apaches sur une butte à proximité du Fort qui portera son nom : « *Butte Stauffer* ».

La première « *Medal of Honor* » attribuée à un suisse pendant les guerres indiennes, l'avait été à Julius Stickoffer , décoré pour acte de bravoure à la bataille de Cienaga Springs dans l'Utah, le 11 Novembre 1868 à l'âge de vingt-trois ans.

Engagé dans le 8ème de cavalerie, il sera le seul à être décoré au cours de ce conflit de sept ans contre les Utes et les Navajos conduits par leur chef « *Black Hawk* ».

D'autres compatriotes auront moins de chance, notamment « *à l'ouest du Pecos* » où on rêve d'une terre promise pour faire fortune, où on rêve d'Amérique simplement.

A l'automne 1891, deux cents Suisses romands émigrent dans la vallée du Pecos, une région désertique située dans le sud-est du Nouveau-Mexique.

Les colons suisses vont tenter deux années durant en vain de faire pousser quelque chose sur les terres du Pecos que des vents persistants balaient constamment.

L'eau insalubre entraîne la mort de nombreux enfants au sein des dix-huit familles que compte la colonie helvétique.

Puis c'est une inondation qui emporte l'essentiel des infrastructures du système d'irrigation.

Le glas de l'entreprise de colonisation suisse du Pecos a sonné.

Le petit hameau que les émigrés avaient fondé et appelé « *Vaud* », s'appelle aujourd'hui « *Loving* ».

En Suisse romande, l'expression : « *c'est pas du Pecos* », version vaudoise de la locution : « *c'e n'est pas le Pérou* », atteste encore de l'utopie du Pecos.

CANADA

9

RINDISBACHER

Une des aventures les plus fascinantes de la colonisation du Canada est certainement celle des pionniers suisses de la Rivière Rouge sur l'emplacement actuel de la ville de Winnipeg. Un paradis où il devait être possible de faire rapidement fortune dans l'agriculture et l'élevage. Deux cents suisses s'embarquent sur le vaisseau *"Wellington"* en 1821 direction *" York Factory"* dans la baie d'Hudson. Début septembre, les helvètes entament le voyage vers la Rivière Rouge, en remontant les cours d'eaux à bord de six barques.

C'est alors que commence leur calvaire :

Ramer à contre-courant dans des rivières avec un niveau d'eau tellement bas qu'il faut souvent tirer les bateaux. L'absence de chemins sur les rives oblige les hommes à marcher dans l'eau où ils s'enfoncent dans la boue jusqu'aux genoux...

Puis ce sont les portages, c'est-à-dire le passage des chutes d'eau, où il faut tout débarquer, transporter le bateau à bras d'homme au-delà de la chute, les marchandises et les passagers ensuite... et il y a 61 chutes d'eau jusqu'au Lac Winnipeg !

La situation s'aggrave encore quand il se met à neiger. Un neuchâtelois tomba à l'eau et tous les efforts pour essayer de le sauver furent vains...

A l'entrée du lac Winnipeg, le vent tourne mal et au lieu de 4, il leur faut 18 jours pour le traverser. Ils sont forcés de rationner leurs maigres provisions, pour ne pas mourir de faim.

Fin novembre les membres de la colonie arrivent à destination. Il était grand temps car, deux jours après, la Rivière Rouge gelait.

A fin juillet 1822, un nuage de sauterelles s'abat sur les champs, anéantissant en quelques instants toute la récolte.

L'année suivante, les insectes issus des larves déposées par les sauterelles, détruisent toutes les nouvelles pousses et polluent la rivière. Les débuts de la colonie sont difficiles et les perspectives de récolte très problématiques. Les suisses reviennent souvent bredouilles de leurs longues et harassantes expéditions dans des contrées glacées, à la recherche de gibier.

Seize familles découragées quittent la Rivière Rouge et partent vers le sud. Traversant une contrée hostile, en butte aux attaques des Indiens, ils sont les premiers blancs à se hasarder dans ces régions.

La même année, un autre colon suisse, Abraham Perret, quitte la Rivière Rouge pour aller s'installer dans la région où devait s'élever par la suite la cité de St.-Paul. Il s'adonne à l'élevage et est bientôt rejoint par d'autres colons. Ces anciens suisses de la Rivière Rouge sont les pionniers de la vaste région qui constitua plus tard l'Etat américain du Minnesota.

Puis treize autres familles prennent à leur tour le chemin du sud. La rigueur du climat, la pénurie de vivres, l'isolement, toutes ces privations et épreuves ont été supportées par les colons suisses restés à la Rivière Rouge, avec un certain courage.

Mais les inondations dévastatrices de 1826 donnent le coup de grâce à leur moral. Tous partent pour les Etats-Unis, par la même route que ceux qui les avaient précédés. Ils joueront un rôle dans le développement d'autres régions d'Amérique du Nord du Wisconsin à l'Illinois !

Peter Rindisbacher est né le 12 avril 1806 à Eggiwil dans le canton de Berne.

Il émigre au Canada en 1821 avec sa famille. Débarquant à York Factory (Manitoba) pour la colonie de la Rivière-Rouge, ils doivent abandonner une grande partie de leurs provisions et de leurs biens faute d'embarcations suffisantes. Ils vont entreprendre l'épuisant et dangereux voyage vers fort Douglas (Winnipeg) où, épuisés, ils apprennent que rien n'avait été préparé pour les accueillir et qu'ils devront passer l'hiver avec leurs maigres provisions. Etant pour la plupart des artisans, ils n'étaient absolument pas préparés à affronter les privations d'une existence de fermiers. Les catastrophes naturelles (inondations, invasions de sauterelles) réduisent à néant les efforts maladroits qu'ils fournissent.

En 1826 la famille Rindisbacher décide de descendre vers le sud pour s'établis sous des cieux plus cléments dans le Wisconsin.

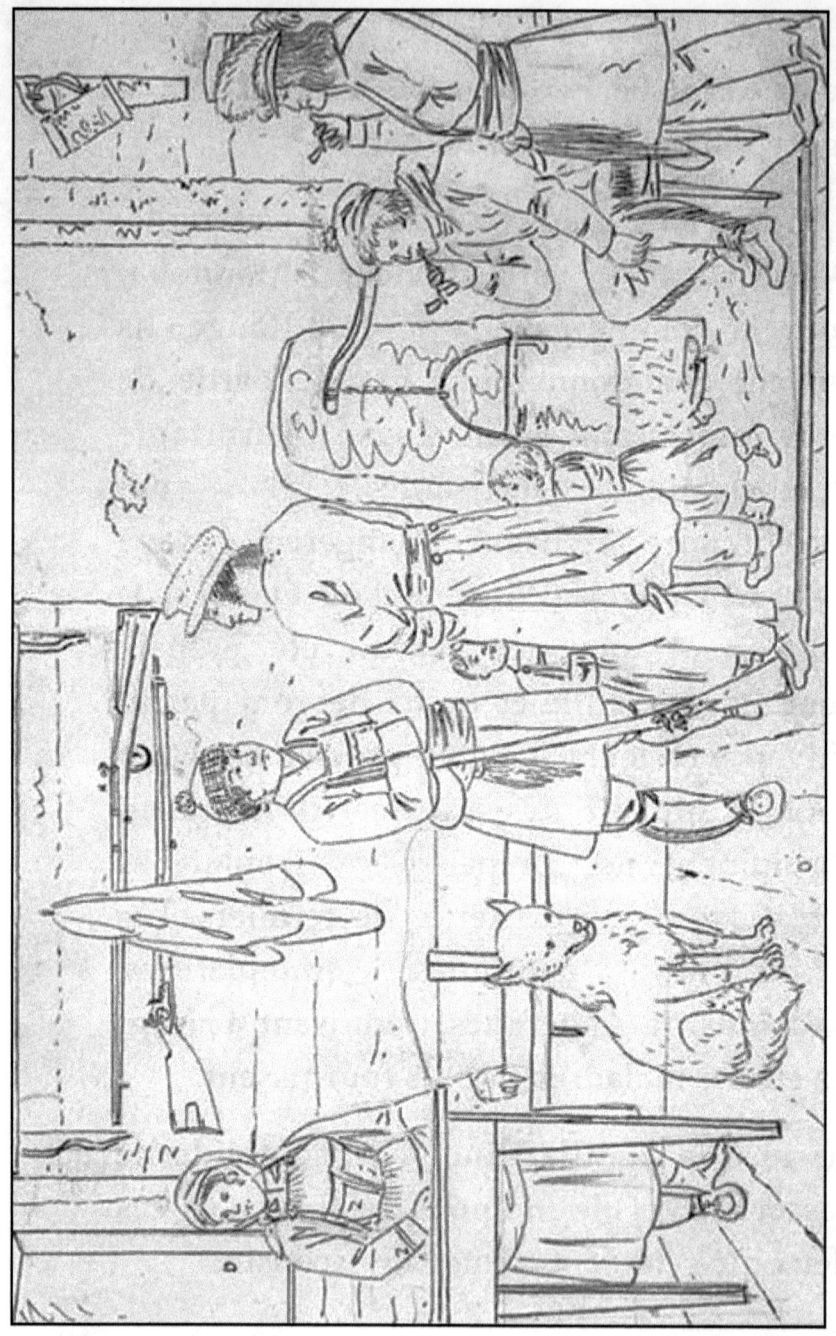

p. 208

Le jeune Peter Rindisbacher peint de nombreuses aquarelles représentant le périple des immigrants suisses. Ses illustrations fidèles de la vie autochtone et de la vie des négociants dans les Prairies constituent un précieux témoignage de cette époque.

Cependant, le succès qui s'annonçait n'est venu qu'en 1834, à l'âge de 28 ans, après avoir peint plus d'une centaine de tableaux, Rindisbacher meurt empoisonné.

Les circonstances de sa mort restent inexpliquées.

L'une des deux théories avancées prétend que c'est sa femme qui l'aurait empoisonné, jalouse de son dévouement à la peinture. La seconde suggère qu'il se serait lui-même empoisonné par son habitude à lécher son pinceau.

Le suisse Peter Rindisbacher est reconnu aujourd'hui en Amérique du Nord comme étant le premier peintre de l'Ouest.

Si il n'a vécu que 13 ans en Amérique du Nord, il n'en a pas moins laissé une œuvre imposante, tant par la qualité que par le volume.

Par son indiscutable talent et son souci d'authenticité, il a influencé le style de ce *"Western and Frontier Art "*, alors naissant.

A travers ses oeuvres sur les vastes plaines de l'Ouest nord-américain, le jeune peintre natif de l'Emmental a légué à la postérité l'expression de son talent et de sa profonde compréhension des hommes de toutes races.

10

FAHRNI

Dans l'Ouest Canadien résonnent encore les pas et le bruit des chariots d'un des plus grands « *Frontiers Man* » de l'Ouest canadien : le Suisse Christian Fahrni. Né à Unterlangenegg sur les rives du lac de Thoune dans l'Oberland bernois, il immigre seul à New York et se dirige vers l'Iowa qui représentait à l'époque « La Frontière ». Attiré par l'exploration de ces nouveaux territoires lointains et difficiles, il se dirige ensuite vers l'Ouest canadien.

C'est ainsi qu'il arrive seul à Fort Garry (Winnipeg) en 1871 à l'âge de 23 ans.

Il va ouvrir la piste commerciale vers l'Ouest canadien entre Fort Garry et Fort Edmonton sur 1500 kilomètres seul, avec ses charrettes grinçantes lourdement chargées.

Pour traverser les rivières, le suisse détèle ses chevaux pour les laisser traverser librement à la nage ; puis il démonte partiellement ses charrettes.

La piste traverse une très grande variété de paysages : des plaines marécageuses, des rivières, des vallées profondes aux pentes abruptes, des collines et de larges prairies.

Pendant des années, avec sa caravane et ses chevaux il va approvisionner Fort Edmonton dans la neige de l'hiver et la boue du printemps ce qui représentait un incroyable défi. Le suisse sera le premier pionnier à établir une liaison régulière entre les deux forts de l'Ouest.

Il va parcourir cette piste, avec la seule compagnie de son chien de garde « Lion » et deux attelages de chevaux tirant chacun un lourd chariot.

Pendant l'hiver, en plus des marchandises, il devait également transporter l'avoine et le foin pour ses chevaux. Son alimentation personnelle était constituée de viande de bison séchée riche en protéines pour fournir des efforts physiques hors normes. Il faisait son pain avec de la farine et de l'eau sans levain. Lorsqu'il était cuit, il était ferme et pas particulièrement appétissant, mais il fournissait les calories provenant de sa teneur en glucide pour relever le défi des activités physiques intenses. Quand la tempête de neige faisait rage loin de tout, il abritait ses chevaux sous les arbres en les couvrant, puis il s'enveloppait avec son chien dans une peau de buffle et s'ensevelissait sous la neige pour survivre à ces conditions extrêmes par moins 40° C.

Lors d'un séjour à Fort Edmonton, il apprend qu'une jeune mère n'a pas assez de lait pour nourrir son nouveau-né qui est en danger car il n'y avait pas de vaches dans le fort.

Immédiatement Fahrni part à la recherche d'une vache. Il devra parcourir plus de 500 kilomètres de piste pour trouver une vache laitière et tenter de la ramener. Mais à mi-chemin du retour, la vache a commencé à boiter car ses sabots fendus n'étaient pas conçus pour voyager sur une piste au rythme imposé par les chevaux. Alors, il a utilisé des lainières découpées dans de la peau de bison pour fabriquer des chaussures pour le bovin ; chaussures qu'il a dû renouveler périodiquement car elles s'usaient rapidement sur la piste à cause de l'abrasion.

A son retour, il a été accueilli en héros. Grâce à son geste courageux, il avait permis la première naissance d'un enfant à Fort Edmonton.

Avec ses chevaux, Fahrni va utiliser cette piste indienne pour transporter les explosifs nécessaires à la construction du « *Canadian Pacific Railway* » à travers les Rocheuses. Il va être le premier à permettre une liaison ferroviaire entre Fort Garry et Ford Edmonton. Pendant toute la durée du chantier, maîtrisant parfaitement les pistes des prairies de l'Ouest canadien, il va avec ses chariots, approvisionner la région qui manque cruellement de toutes sortes de marchandises. Le seul moyen de transport existant était avec des chariots tirés par des bœufs. Avec ses attelages de chevaux, Fahrni était en mesure de voyager plus rapidement, il va ainsi établir un service de fret entre Winnipeg et Edmonton sur une distance de 1 500 kilomètres loin de toute présence humaine.

Plusieurs fois, le long de cette immense piste, il a failli mourir à cause d'une tempête de neige ou d'une blessure soignée par les indiens.

Quand la ligne de chemin de fer fut achevée en 1885, Fahrni réalisa que les habitants isolés de nombreux villages de montagne le long de la voie ferrée n'avaient pas d'approvisionnement en lait ; il commença à charger des vaches dans les wagons. Ce train avec des vaches à bord était attendu en plein hiver dans les différents arrêts de montagne. Comme il n'y avait pas de rampes de déchargement, le suisse était à la manœuvre en poussant simplement les vaches hors des wagons pour qu'elles tombent dans la haute neige sur les côtés de la voie. Puis le train repartait jusqu'à la station suivante. Une vilaine blessure à un pied qui s'infecte va le laisser pendant deux semaines entre la vie et la mort. Fahrni sauve sa peau de justesse mais va être obligé de se sédentariser pour devenir un colon. Pour le suisse, ce sera, à l'âge de trente-trois ans, la fin de ses vagabondages romantiques dans le grand Ouest Canadien.

En recueillant l'histoire des prouesses de notre concitoyen, on est étonné de voir quelle vigueur il a fallu à cet homme pour supporter les fatigues de ses interminables courses.

Fahrni aura fait preuve d'une endurance physique exceptionnelle et d'une remarquable capacité d'adaptation à la vie sauvage. Lui qui a « marché » tant de fois sur cette piste, qui l'a sillonnée en tous sens, qui a repoussé les frontières de l'inconnu, va acquérir un prestige unique dans la mémoire canadienne. Dans son numéro du 31 janvier 1968 le journal de Gladstone écrivait :

« Nous sommes redevables à Monsieur Fahrni de notre développement à une période de notre histoire où seuls les hommes avec un pareil esprit d'énergie auront survécu. Dommage que les hommes de sa trempe soient si rares. »

De tous les pionniers du *Far West* canadien, l'un des plus remarquables a été Christian Fahrni. Il a accompli des périples dont le récit paraîtrait incroyable. L'un des aspects les plus étonnants du personnage fut son coup d'œil pour se diriger à travers les bois et les prairies. On n'a jamais trouvé, même parmi les indiens doués de l'instinct des animaux, un homme capable de s'orienter aussi bien que lui. Il savait, après plusieurs jours de marche dans diverses directions, revenir directement à son point de départ.

Sur cette piste des géants, Christian Fahrni, seul pendant des années, été comme hiver, accompagné de son chien, aura transporté dans ses chariots la dynamite pour la construction du premier chemin de fer dans les Rocheuses.

Il aura signé une épopée digne du film :

« *Le Salaire de la peur* ».

Le premier Suisse à s'établir tout à l'ouest du Canada fut Georges Stelli. Né en 1825 à Bettlach (dans le canton de Soleur), il émigre en Amérique du Nord à l'âge de 27 ans, s'installant d'abord à la Nouvelle-Orléans, puis en Californie en traversant l'Utah comme l'avait fait Sutter vingt ans auparavant. En 1858 il tente sa chance au Canada, dans la région de Victoria, où des gisements d'or avaient été récemment découverts. C'est le premier Suisse à s'aventurer dans le *Far West* Canadien où il investit ses fonds dans des terrains aurifères près de Yale.

En 1868, il fait le voyage d'une semaine en diligence entre Yale et Barkerville, qui était la plus grande ville de l'Ouest canadien et qui brûla dans un grand incendie la même année. Mais après quatorze moins de vains efforts, il décide d'abandonner cette prospection pour se lancer dans les transports. En 1890, il exerçait encore cette activité à Victoria.

Barkerville est située 80 kms à l'est de Quesnel. Il suffit de suivre le " Ruée vers l'Or Trail ".

A son apogée, c'était la plus grande ville de l'Ouest canadien.

C'est un site historique à nul autre pareil. Contrairement à de nombreuses villes de la ruée vers l'or de cette époque, qui ont disparu depuis longtemps, Barkerville reste un endroit prospère, riche en histoire et plein de vie.

Par la suite, L.A. Blanc, originaire du canton de Vaud, s'y installa comme photographe.

Son magasin est toujours en activité !

Un détour par la ville de Stirling (qui se situe sur la route 4 de l'Alberta, à environ 30 kms au sud-est de Lethbridge et à 70 km de la frontière canado-américaine) pour visiter la bibliothèque de Theodore Brandley.

Ce suisse originaire de Horgen (Zurich), débarque en Amérique à l'âge de 21 ans et s'installe à Richfield dans l'Utah.

En 1899, il arrive au Canada accompagné de ses quatre fils, et fonde la ville de Stirling déclarée site historique national, dont il deviendra le maire ; il a 48 ans.

Toujours en Alberta, à la même époque, un autre Suisse, Carl Stettler, originaire d'Eggiwil (Berne) arrivé aux Etats-Unis en 1886, fonde en 1905, à l'âge de 44 ans, à l'ouest de Red Deer, la ville qui porte son nom.

Elu maire, il y construira l'hôtel National qui a été détruit par un incendie en 1908.

" *Father of our Town* " telle est l'inscription sur sa pierre funéraire.

Parmi les parcours des pionniers suisses de l'ouest canadien, il faut aussi retracer celui de Samuel Gintzburger, né en 1867 à Neuchâtel, qui fait le grand saut outre-Atlantique à l'âge de 20 ans pour s'essayer aux mines d'or et d'argent.

Il montre vite l'étendue de ses ardeurs : il acquiert 65 hectares de terres agricoles, commerce avec les autochtones, s'essaie aux mines d'argent et d'or, avant de fonder sa compagnie.

Dépeint comme l'un de ses citoyens les plus " pittoresques ", avec son orchidée à la boutonnière, il s'implique dans toutes les sphères de la vie de Vancouver.

Il sera le premier consul de Suisse pour l'ouest.

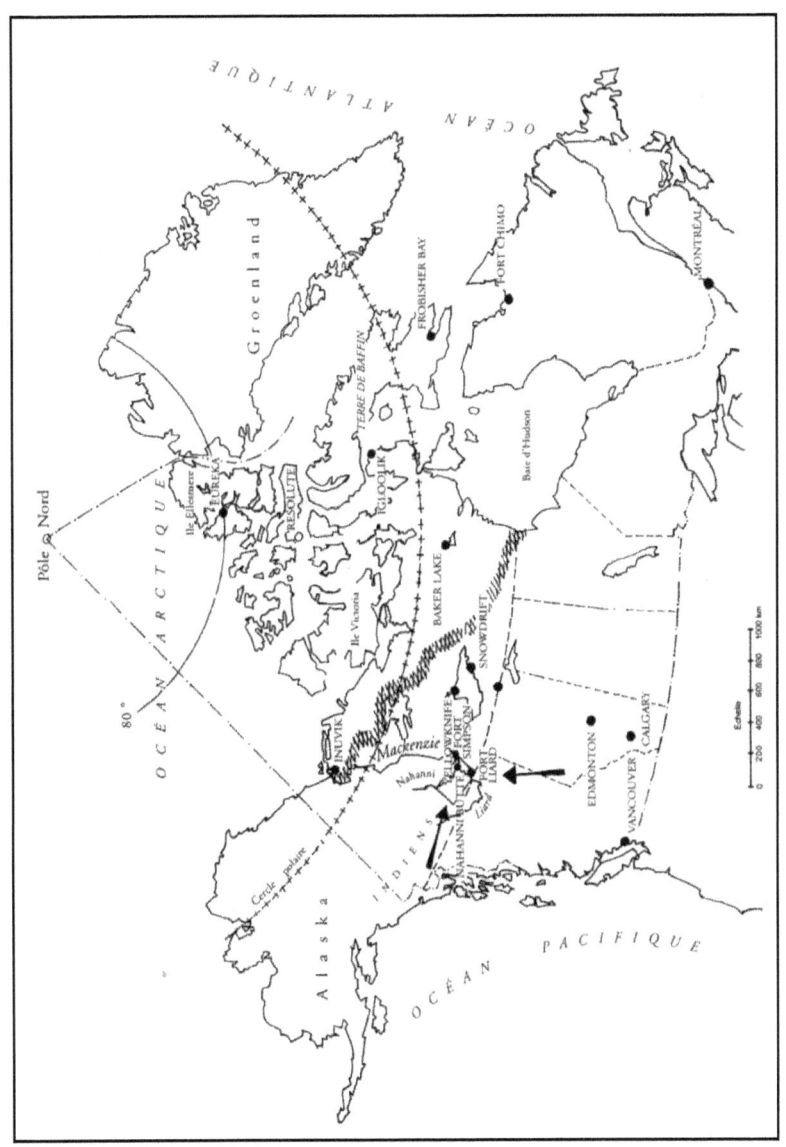

11

TNO

Dans les Territoires du Nord Ouest, tout commence quand un suisse du Yukon reçoit, une lettre d'un de ses amis prospecteurs, lui confiant qu'il vient de trouver une mine d'or près d'une chute d'eau. En 1931, il traversa le « *Continental Divide* » en chiens à traîneaux vers le lieu de rendez-vous prévu où il ne trouva que le corps du suisse Martin Jorgenson criblé de balles dans les cendres de sa cabane. Pour les besoins de l'enquête, les policiers arrivés sur place décident d'aller interroger le plus proche voisin, un trappeur mystérieux et solitaire qui s'exprime avec un fort accent suisse allemand.

p. 227

p. 228

« *On the « mystery roll » of the man-hunt scroll is written the trapper's name. But no-one knows just who he was, from whence or why he came.*"

Les Territoires du Nord-Ouest et le Yukon représentent un immense territoire, presque désertique, où les prospecteurs se croient au-dessus des lois et où la chasse est trop souvent synonyme de braconnage. Survivre dans cet environnement hostile et pratiquement inhabité nécessite une volonté de fer, une constitution robuste et un mental à toute épreuve.

C'est ainsi que les policiers ont la grande joie de parcourir 60 kms en traîneau à chiens. Une balade de deux jours par moins 50°C. Ce qu'ils veulent surtout, c'est s'assurer que le trappeur est suffisamment organisé pour affronter la nature hostile car trop d'aventuriers ont mis leur vie en danger, et celle des secouristes, parce qu'ils avaient totalement sous-estimé ces étendues inhospitalières.

On ne souhaite pas que le « pied tendre » devienne l'énième aventurier imprudent et, accessoirement, on voudrait l'informer de la nécessité de détenir une licence pour chasser dans le coin ; mais en vain : le bonhomme ne quitte pas sa cabane, ignorant complètement la présence des deux hommes.

Après l'avoir appelé pendant une demi-heure alors que la cheminée fume, ils se disent qu'ils n'ont pas parcouru tout ce chemin pour rien et décident de frapper à la porte de la cabane.

Erreur tactique car l'homme a poliment refusé de communiquer. L'un des *"Mounties"* entreprend d'entrer en force dans la cabane et se fait tirer dessus par le trappeur à travers la porte. Deux agents, après l'avoir récupéré à terre et mis hors de danger vont mettre 20 heures à traîneau pour lui sauver la vie. Règle absolue : la Police montée ne tire jamais la première !

Le combat est bref mais décisif car le trappeur fait feu à partir d'ouvertures pratiquées au bas des murs en rondins de sa cabane, ce qui le met à l'abri de la plupart des tirs faits contre lui, retranché en sous-sol, derrière une double rangée de rondins

Quelques jours plus tard, neuf hommes, quarante-deux chiens, 20 kg de TNT, et plus d'armes que contient le registre local des ventes de la NRA, arrivent avec un mandat de perquisition.

L'accueil est chaleureux : ils reçoivent une pluie de projectiles pendant quinze heures. La cabane en rondin sans prétention avait été transformée en un véritable fortin. L'homme tire avec une rapidité incroyable. Aucune charge n'est possible ! On aurait dit qu'il y avait une escouade dans la *"cabin"* !

Voyant qu'elle était à l'épreuve des balles, les policiers décident d'utiliser les bâtons de dynamite après les avoir dégelés entre leurs jambes.

p. 232

Le toit de la cabane s'effondre dans un éclair de flamme et de fumée noire.

Trois des quatre murs sont soufflés en sciure de bois. Finalement, lorsque le brouillard de l'explosion se dissipe, les policiers avancent avec désinvolture jusqu'aux ruines en se préparant à pelleter tout ce qui reste du bonhomme dans un sac sans nom, quitte à l'identifier un jour. Malheureusement pour eux, ce type a d'autres projets.

Alors qu'ils s'approchent du cratère fumant, le trappeur saute d'un trou de fou qu'il a creusé à la main au milieu de son salon, tenant un pistolet automatique dans chaque main. Il ouvre le feu sur les policiers qui sautent en l'air, donnant des coups de pied et disparaissent dans un nuage de fumée en courant sans ralentir avant d'avoir atteint la civilisation après avoir livré l'une des plus étranges batailles de toute l'histoire de l'ouest canadien.

Si la Police Montée Canadienne porte des uniformes amusants et fait du cheval, cela ne signifie pas que vous pouvez leur tirer dessus arbitrairement sans qu'ils aient envie de riposter.

Ces gars-là ont toujours leur homme et le fait d'avoir été arrosés par un fou dans un abri antiatomique artisanal ne les dissuadera pas de mener leur mission à bien.

Ils ont rassemblé un grand groupe d'hommes et sont repartis pour montrer ce qui arrive quand on joue avec leur patience.

Le problème est que, lorsqu'ils sont arrivés sur les restes de la cabane, celle-ci était vide. Le trappeur avait pris les seuls objets dont il avait besoin pour survivre dans le climat aride et impitoyable de l'Arctique : une paire de raquettes et quelques armes à feu pour se lancer sur un des terrains les plus inhospitaliers de la planète au beau milieu de l'hiver par moins 47 °C !

Dans ce qui est maintenant connu sous le nom de " la guerre du cercle arctique ", le fugitif va mener la Police Montée Canadienne à une chasse de 48 jours à des températures si froides qu'elles pourraient probablement congeler un ours polaire. Les trois premiers jours de sa cavale, il aura parcouru 140 km. Les Inuits locaux ont déclaré que l'homme pouvait faire de la raquette sur 3 kilomètres pour chaque kilomètre parcouru par une équipe de traîneau à chiens.

Son seul moyen d'évasion est de traverser les montagnes Rocheuses et de se diriger vers le haut Yukon pour traverser la frontière de l'Alaska. Non seulement la période de clarté est courte à cette époque de l'année mais une tempête de neige qui sévit depuis la nuit de la dernière fusillade couvre déjà les traces du fugitif qui se déplace principalement sur les crêtes, là où la neige est plus dure et les traces de pas moins visibles.

Les hommes de loi ont l'impression de se battre contre un démon plutôt qu'un être humain. Grâce à son incroyable résistance physique, il arrive à tenir tête à des hommes qui bénéficient de chiens de traîneaux, de ravitaillements et de repos fréquents.

Le sol est raboté par la tempête glacée, même les jours les plus calmes, des jours de très brève durée. Trouver un homme qui se cache dans un tel désert relève de l'impossible. Un paysage de mort, capable d'engloutir des cités laminées par un froid incroyable. Là-bas, le vent efface les traces en deux minutes.

On raconte que, dans les Territoires du Nord-Ouest, la vente des radios qui s'imposent de plus en plus comme source d'informations, monte en flèche. La radio diffuse les derniers détails de cette incroyable chasse à l'homme, incitant une partie de la population à voir le fugitif comme un héros.

On veut tout savoir de cette chasse à l'homme qui s'annonce comme sans précédent. L'affaire devient un feuilleton à sensation. Une radio annonce que l'homme a réussi à tenir en respect un important détachement de la police et soutenu un " siège en règle " On ne cesse d'épiloguer sur la question et on en rajoute au fil des émissions.

Les gens écrivent pour demander que l'on cesse de poursuivre ce pauvre trappeur, insistant pour qu'on le laisse tranquille. Cela ressemble à un pari suicidaire, mais l'homme apparaît comme indestructible et fait preuve d'une résistance au froid et à la faim inouïe. Il avale des centaines de kilomètres à pied, deux fois plus vite que les traîneaux à chiens de ses poursuivants.

Après un mois de traque, on découvre enfin le bivouac du fugitif. En silence, les policiers s'approchent, espérant le prendre par surprise. Mais, au dernier moment le fugitif les aperçoit et ouvre le feu.

Les balles sifflent dans tous les sens pendant deux heures. Le chef des policiers est atteint en plein cœur et s'écroule dans la neige devant ses compagnons horrifiés.

A la tombée de la nuit, l'homme en profite pour reprendre la fuite. Maintenant, il est devenu un meurtrier. Ce survivant ultime va franchir un col abrupt de 2 500 mètres, alors que le blizzard fait rage, sans matériel d'escalade ni nourriture, ni ressources, par une température de -40°C.

Il va coiffer au poteau les agents qui couvraient toutes les issues et qui considéraient cette ascension comme impossible avec une visibilité nulle sous la tempête de neige.

Inutile de narrer le désarroi de ces pauvres Canadiens, experts du Grand Nord, lorsque, ayant enfin retrouvé sa trace, ils constatèrent qu'elle tournait en rond sur elle-même, en ne menant nulle part !

La tempête souffle avec une telle violence sur les Rocheuses que le fugitif ne peut se rendre compte de sa situation exacte. Un véritable voile de neige le bouscule, l'aveugle complètement. Soudain le sol se dérobe sous lui ; il glisse et tombe face dans la neige, ne pouvant se rattraper à rien, emporté par une avalanche.

Pendant quelques secondes qui lui paraissent une éternité, il roule sur lui-même sans pouvoir contrôler sa chute, puis il y a un ralentissement, et un arrêt brutal sur un obstacle.

Il se trouve pris par les deux pieds, accroché à un nid de faucon, au bord d'un précipice dont il est impossible de voir le fond. Il aperçoit alors une faille dans la roche, sans doute l'entrée d'une caverne, la providence peut-être. Exténué, il lui faut à tout prix dégager ses chaussures et gagner cet abri inespéré. A force de patience et de ténacité il parvient en rampant à l'entrée de l'excavation.

p. 240

Il va réussir à traverser toute la chaîne montagneuse en utilisant une harde de caribou pour effacer sa piste. Il tient un morceau de caribou dans sa main rougie, couleur sang, et mâchonne la viande tout en se réchauffant par instants les mains en les plongeant dans le corps béant de l'animal éventré à ses côtés. S'aidant de son couteau il mastique avec voracité.

En fait, on traque un fantôme, un être insaisissable qui tend des pièges dans les coins les plus pervers, qui se joue des ravins et des eaux ruisselantes de glace.

Il a continuellement reculé sur sa piste pour se débarrasser de ses poursuivants. Il a aussi pour habitude de se déplacer en zig zag, extrêmement rapidement pour un homme qui transporte un bagage lourd, sans bénéficier de ravitaillement et tout cela en s'arrêtant à peine. Bref, personne, parmi ses poursuivants, tous spécialistes dans la survie nordique, n'arrive à comprendre comment il peut se reposer.

Il marche comme il l'a toujours fait, la tête enfoncée dans les épaules, son fusil passant d'une main à l'autre, un énorme sac sur le dos, posant sur le sol ses lourdes chaussures de neige, régulièrement, inlassablement, comme s'il ne devait jamais s'arrêter. Il ne peut jamais s'arrêter en ce monde inhumain. Sinon, il ne pourrait plus repartir et trouverait la mort.

Alors, désespérée, la police fait appel à un pilote vétéran de la Grande Guerre, qui entre en scène le 5 février au moment où des centaines d'hommes sont à sa poursuite.

L'homme a des armes, mais il ne peut pas les utiliser pour chasser et se nourrir sans donner sa position aux poursuivants.

Dix jours après, le pilote de l'avion comprend enfin que le fugitif couvre ses traces en marchant dans celles d'un troupeau de caribous, lequel avance au milieu d'une rivière gelée.

En outre, il profite de ce terrain pour enlever ses encombrantes raquettes et gagne ainsi un temps considérable.

Toute la Nation se passionne pour ce survivant de l'extrême ! Et la poursuite dure encore un long mois, au cours duquel il parcourt plus de 250 kilomètres, dont certains à reculons pour tromper ses poursuivants, sans pratiquement rien d'autre pour se nourrir que ce que la forêt hivernale veut bien lui offrir.

L'homme est aux abois, car c'est la première fois au Canada qu'un avion est utilisé dans une chasse à l'homme.

Dans le ciel, le monoplan décrit des cercles pour signaler la position du fugitif qui tente de s'enterrer sous la neige.

Après avoir échappé aux autorités pendant près de deux mois, le fugitif a finalement été rattrapé.

Toujours aussi solide sur ses jambes, il se barricade dans la neige, au centre de la rivière, tandis que deux groupes de tireurs se forment, chacun de leur côté de la rivière.

Les hostilités sont ouvertes et tous savent qu'il n'y aura pas de quartier. Un premier tir atteint les cartouches qu'il transportait dans une poche, créant une explosion, un autre projectile s'enfonce dans son épaule et un troisième dans son côté, mais le trappeur coriace continue toujours de faire feu sur ses poursuivants.

Puis, après vingt minutes, les armes se taisent. Seuls les chiens de traineau continuent d'aboyer par – 35 °C !

Le fugitif est face contre terre, immobile, la main toujours refermée sur son arme, une puissante carabine de calibre 30/30.

Le trappeur fou a été atteint de 9 coups de feu !

L'une des plus incroyables chasses à l'homme de l'histoire du Canada vient ainsi de prendre fin le 17 février 1932.

C'est sur la rivière Eagle que celui que l'histoire a retenu sous le nom de " *Mad trapper* " a été abattu par la police montée Canadienne au terme d'une terrible chasse à l'homme.

Un homme excessivement rusé et intelligent. Tout le contraire d'un fou.

Cette histoire est restée inscrite dans la mythologie du Yukon.

L'autopsie révéla que le trappeur fou souffrait d'un pied plus court que l'autre, ce qui explique en partie pourquoi il avait lambiné comme ça pour parcourir 300 kilomètres dans la neige pendant plus de douze semaines de cavale… !

Le mystère de l'homme à l'accent suisse allemand reste entier !

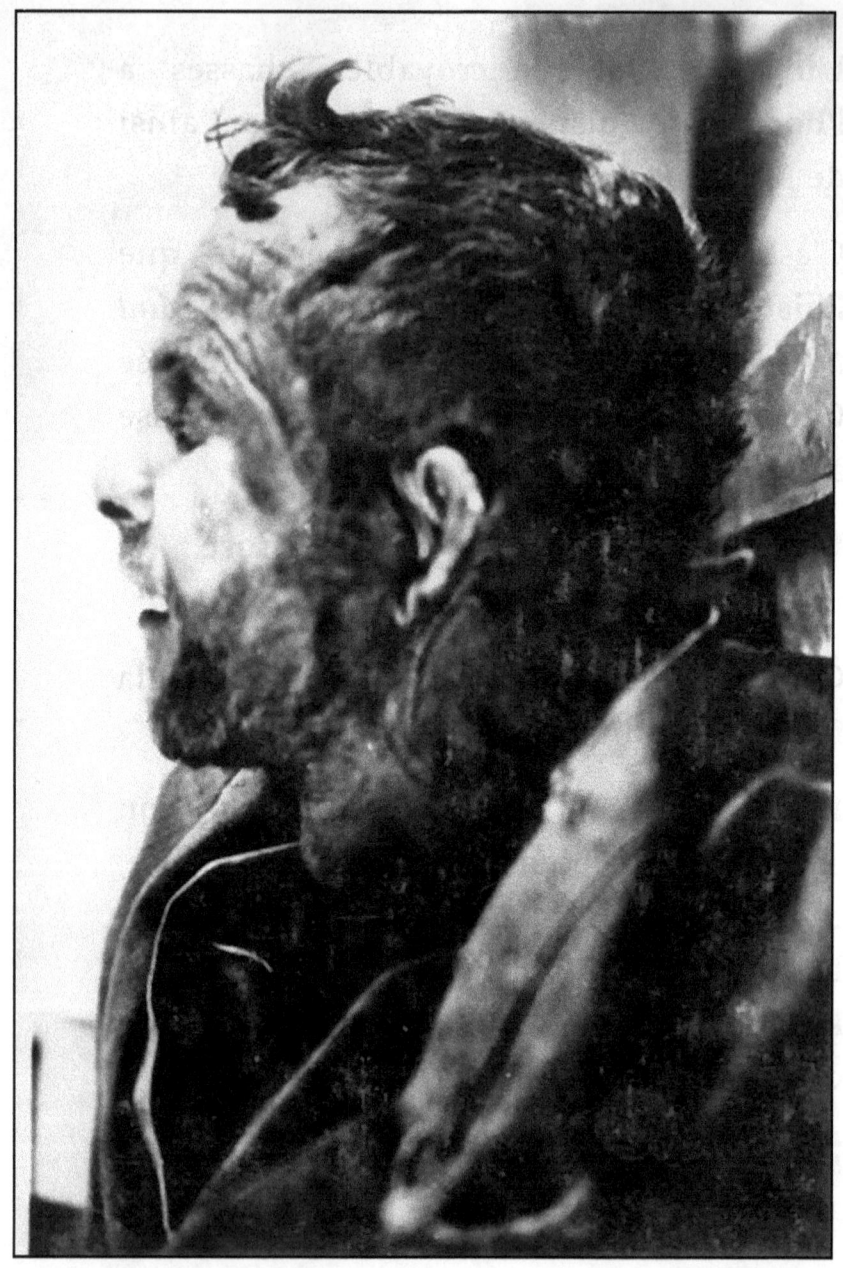

p. 246

12

LA MALEDICTION DE LA CASCADE

C'est la cascade maudite, la mangeuse d'hommes, entourée par la Chaîne des Funérailles, par la rivière du Crâne Brisé, par la vallée des Hommes Sans Tête et par la vallée des Hommes Morts... On raconte qu'il y a là des tribus sauvages et inconnues qui assassinent et peut-être dévorent ceux qui s'y aventurent ; des hommes des montagnes qui vivent coupés du monde et qui protègent leur territoire. Un mystère qui touche au surnaturel hante cette exceptionnelle chute d'eau, cette eau qui donne soif, la soif immodérée de l'or !

p. 247

Avec une chute de plus de 100 mètres, c'est la plus haute cascade de l'Amérique du Nord, presque trois fois la hauteur des chutes du Niagara !

Loin dans le temps, des hommes sont venus ici par vagues ratisser le lit caillouteux du cours d'eau et les sables de ses criques. Mus par la cupidité, aveuglés par le mirage du métal jaune qui rend fous les blancs, ils n'ont pas pris le temps de comprendre la cascade qui est une borne, une frontière, une limite entre la civilisation et la terre inconnue.

Les autochtones disent que la cascade est maudite, car elle renferme des forces maléfiques. Ce qui est sûr, c'est qu'elle ne pardonne pas l'erreur et tue ceux qui font un faux pas. Qui pourrait se douter d'un danger pareil dans un décor aussi grandiose ? Une fois sur place, on ressent tout ça d'une façon tellement profonde que l'on en est presque déstabilisé.

Tous ceux qui s'y sont aventurés y ont trouvé la mort et les pitons rocheux qui entourent les chutes sont comme une suite de stèles érigées à leur mémoire.

Tout commence vers les années 1900 quand un Indien rapporta de la région quelques pépites d'or. Le cri : « *GOLD* » était lancé dans une zone pas encore cartographiée !

En 1905, les frères Frank et Willie McLeod, natifs du coin, accompagnés d'un ingénieur écossais du nom de Bobby Weir, montent vers les chutes. Le trio n'étant pas revenu à l'automne, on a supposé qu'ils avaient décidé de passer l'hiver sur place et qu'ils seraient de retour au printemps. On n'entendit plus parler d'eux. Certaines rumeurs ont suggéré qu'ils avaient réussi à trouver la veine d'or mythique et avaient fait main basse sur leur fortune sans prévenir qui que ce soit. Une expédition de recherche fut organisée trois ans plus tard.

Elle découvrit, près des chutes, une cabane à l'intérieur de laquelle gisaient l'un à côté de l'autre, sur un lit, les squelettes des deux frères chercheurs d'or décapités. Les crânes avaient disparu. Mais la région est infestée d'ours ; peut-être que les deux hommes étaient déjà morts de faim ou de maladie lorsque les ours pénétrèrent dans la cabane ? C'est en les dévorant qu'ils ont sans doute scalpé les corps, délaissant les chevelures... Mais les crânes ont disparu ! Un ours est fort capable d'emporter morceau par morceau des quartiers de viande dans son repaire.

On retrouva un message dans leur cabane : « *nous avons trouvé l'or* » ! La rumeur diffusa qu'ils avaient été tués par le troisième membre de l'expédition. Mais on ne trouva aucune trace de l'ingénieur écossais qui disparut à jamais. Seuls des Indiens, qui chassaient un kilomètre plus bas, retrouvèrent, un an plus tard, les restes d'un corps décomposé.

p. 252

« Ne touchez pas à l'or. Si vous en voyez par terre, ne vous baissez pas pour le ramasser. Explorateurs, vous avez une chance de vous en tirer peut-être. Mais personne n'est sorti de la vallée en emportant de l'or, car l'or de la cascade maudite n'est pas pour les blancs ».

Pourtant, les Indiens n'avaient aucune raison de se rendre là-haut ; ils n'aiment pas les chutes qu'entourent pour eux mille légendes effrayantes.

Si, aujourd'hui encore, aucun Indien ne s'aventure jusqu'à la cascade, c'est simplement qu'il est terrorisé par les légendes de la vallée tropicale ; elle a son origine à deux emplacements de sources chaudes, où, dit-on, vivraient des monstres préhistoriques dont on a en effet découvert des ossements ; et la vallée des hommes sans tête, où une tribu sauvage composée de cannibales couperait la tête à tous les étrangers.

De plus, ils n'avaient à l'époque que des canoës d'écorce, incapables de résister aux rapides.

On a parlé de hors-la-loi qui auraient trouvé une retraite sûre en tuant toute personne passant dans leur royaume...

Mais on défie quiconque de vivre sans un contact avec le reste du monde plus d'une année dans ces endroits ! Il sera toujours à la merci de la famine.

D'autres encore affirment qu'un groupe de prospecteurs du « *Gold Rush* » ayant découvert la « *Mother Lode* », l'or des McLeod, tirent sur tout être vivant susceptible de dévoiler leur secret.

Aucune recherche n'a jamais été entreprise par la police montée pour les localiser. Ils remontaient cette vallée sans espoir de retour, c'était des chercheurs d'or, des aventuriers.

Ici, l'homme seul est condamné à vivre de sa chasse, le gibier est abondant, certes, mais fuyant, et quand les fauves se rapprochent de la cabane, c'est qu'ils ont faim et qu'ils vous savent malades ou épuisés ; oui, ils devinent tout, les ours !

Seuls les Indiens pouvaient dénombrer, à l'époque, les pionniers isolés qui s'aventuraient par ici !

Ils n'ont jamais rien dit, ils ne diront jamais rien !

Seulement deux expéditions sont allées un peu en amont de la cascade maudite.

D'abord, trois explorateurs suisses qui avaient tenté de pénétrer ces montagnes où personne n'avait pu aller et dont on a pu retracer la fin tragique. C'étaient de solides gaillards et des hommes expérimentés.

Tous les prospecteurs, géologues, explorateurs ou aventuriers disparus vers les chutes, s'y sont pris de façon analogue.

Tous ont essayé d'atteindre la cascade en remontant le courant.

Les trois suisses, eux, se sont fait déposer par un hydravion sur le cours supérieur qui précède immédiatement les chutes, où la rivière est relativement calme.

Malgré toutes les précautions prises, ils firent naufrage dans les rapides et se noyèrent en descendant, ajoutant leurs noms sur la longue liste des victimes de la cascade mangeuse d'hommes.

Ils avaient un bateau en aluminium ce qui représentait une innovation importante. On l'a retrouvé plié comme un accordéon contre un rocher.

C'est un autre suisse : Albert Faille qui retrouva le corps de l'un d'entre eux... sans tête !

Pourtant, l'idée de descendre était bonne. Pour le faire, pas besoin de moteur ; donc pas de carburant, pas de matériel lourd.

Mais, il ne faut jamais descendre une rivière sans l'avoir remontée en observant soigneusement chaque passage. Sinon, on ignore les difficultés qui nous attendent.

Quand on monte, on va très lentement. On peut repérer le chenal qu'il faut prendre. Si, par contre, il faut à chaque instant improviser l'itinéraire en se laissant emporter par le courant, on est fatalement entraînés vers les rapides les plus abrupts, les plus dangereux.

Quelle folie que de descendre ce passage sans l'avoir reconnu !

Avec leur canoë léger, le portage aurait été facile, surtout pour trois gaillards helvétiques.

Puis, une équipe de l'Armée canadienne partit à leur recherche. Ces militaires disposaient de moyens très puissants, en particulier d'un treuil avec lequel ils voulaient hisser leur bateau.

L'expédition a échoué.

Plus près de nous, le 5 janvier 1962 un avion s'écrase dans la région. Aux commandes, se trouvait un pilote chevronné de 47 ans qui avait participé à la bataille aérienne d'Angleterre. Il survécut indemne à l'accident et disposait d'un équipement de secours complet et de suffisamment de vivres pour cinq mois.

Plusieurs fois, les avions de secours l'ont survolé, sans jamais le repérer alors qu'il n'était qu'à 10 kilomètres de sa destination. L'homme survécut pendant 46 jours, puis disparut complètement de la surface de la terre. Six mois plus tard, on a trouvé l'épave de l'avion, mais, à ce jour, aucune trace du pilote n'a été découverte.

En 1963, quatre prospecteurs manquèrent de vivres. L'un des hommes partit seul et fut retrouvé par un avion, mais deux de ses compagnons moururent de faim, et le troisième se fit sauter avec une ceinture de dynamite.

Et la légende grandit !

Ceux qui sont morts plus bas, en aval des chutes, on sait ou on devine la fin !

Mais les autres ? Les chercheurs d'or en quête de l'Eldorado, qui ont continué, à pied, lourdement chargés, où dorment-ils de leur mort épouvantable, mystérieuse ?

C'est sans doute la faim et l'épuisement qui ont causé la disparition de beaucoup de personnes...

C'est la malédiction des hommes, pas celle des chutes !

Le secret de la cascade est terrible : crimes, accidents, si l'on en croit la chronique parlée, s'y seraient succédés et ces faits ne concernaient que des hommes de race blanche ; aventuriers de l'or cherchant à gagner le fabuleux filon, à découvrir les pépites ou, mieux, le « *drill* » qui, d'un seul coup, ferait d'eux les plus fortunés de la terre. Aucun n'est revenu. Les uns s'étaient sans doute entretués, la faim et la rivière auraient détruit les autres.

Un jour, on a retrouvé coincé dans la coque d'un canoë un sac hermétique qui contenait un récit.

L'homme qui avait écrit ces lignes racontait qu'il était arrivé jusqu'au bout du monde ; la montagne se fermait alors de toutes parts et les eaux de la rivière tombaient d'une hauteur prodigieuse. Il avait réussi à arriver jusqu'aux terres de l'infini en halant son canot et en franchissant d'imposants rapides.

Mais, il redescendait maintenant la rivière car, chaque nuit, les ours et les loups formaient un cercle autour de son feu.

Il n'avait presque plus de vivres et il était trop faible pour poursuivre les élans ou les moutons sauvages. Il a dû faire naufrage quelque part. On comprend la disparition de tous ces hommes morts à cause de l'or, peut-être avec de l'or plein leur ceinture, morts de faim, de froid ou d'épuisement, peut-être aussi de solitude.

Plus d'une cinquantaine d'hommes ont disparu à tout jamais autour des chutes.

Aucun n'était revenu.

Sauf un : le Suisse Albert Faille !

3

FAILLE

Il s'appelait Albert Faille et il termina sa vie à Fort Simpson dans une pauvreté compensée par la richesse des souvenirs accumulés tout au long de sa vie de chercheur d'or. Ce Suisse est une figure de légende qu'on nomme ici « l'homme de la rivière ».

Bien que beaucoup de ses prédécesseurs se soient perdus ou soient morts de faim en amont des chutes, il va remonter jusqu'à la cascade durant quarante années.

C'est lui qui, le premier, a construit, pièce par pièce, pour explorer la rivière une sorte de barge légère, véritable radeau, avec des plats bords de vingt centimètres. L'embarcation avait été judicieusement construite pour explorer la rivière. Son tirant d'eau est insignifiant : un radeau à l'avant, relevé en forme de barge, c'est tout ! Il fallait du courage pour s'aventurer là-dessus ! Le portage d'une telle embarcation au-dessus des chutes eut nécessité une forte équipe.

Alors, Faille a construit son bateau sur place, il a vécu ici pendant des mois du produit de la chasse, insensible aux moustiques, se laissant cerner par le froid, ne revenant qu'aux annonces de l'embâcle ; on savait par lui que la rivière cessait d'être navigable trente kilomètres en amont des chutes. Si Faille l'avait dit, c'est que c'était vrai.

Le Suisse était le seul à être revenu pour le dire.

Les premières années de la vie d'Albert Faille restent un mystère.

Né vers 1887 dans le canton de Vaud, il arrive aux Etats-Unis avec sa famille comme immigrant au Massachusetts. Pour des raisons inconnues, il est séparé de sa famille. Etant encore un enfant, il est élevé par des parents adoptifs dans une ferme du Minnesota.

Le vaudois se sauve de chez lui, à l'âge de huit ans ; il commence à gagner sa vie en faisant de menus travaux dans des fermes.

A l'âge de dix ans, il vit dans une cabane abandonnée, survivant seul dans la campagne encore sauvage du Minnesota, où il apprend le métier de trappeur.

Il n'est jamais allé à l'école, et a appris à lire à l'âge adulte, seul, avec pour tout professeur sa propre volonté.

En 1924, Faille tente sa chance dans le nord du Canada. Et il a beaucoup de chance ! Au cours de ses deux premières saisons dans le nord, il gagne 10 000 $, une fortune pour l'époque.

Il déménage à Fort Simpson en 1927 et, pendant près de quarante ans, il passe ses hivers sur une ligne de trappe, raquettes aux pieds, à 200 kilomètres du Fort, et ses étés aux chutes, à la recherche du légendaire filon des frères McLeod décapités en 1905.

Car le vaudois a une obsession : la lettre que le suisse Martin a adressée avant son assassinat à son compatriote du Yukon en 1915. Il lui annonce avoir trouvé la mine d'or des frères McLeod.

Il est aussi persuadé que les trois suisses qui ont péri en descendant avec leur pirogue en aluminium poursuivaient la même recherche.

Alors, tous les ans, il monte vers le nord. C'est pour cela qu'il a construit un deuxième bateau, là-haut.

A 73 ans, Faille tente une fois de plus de remonter seul jusqu'à la cascade maudite, pas seulement pour le légendaire filon d'or, mais surtout pour l'aventure que présente un tel défi... « *Mes vacances d'été* », comme il disait !

Pour son dernier départ, le chef de la police montée de Fort Simpson lui adresse ses vœux : « On vous souhaite bonne chance, comme on serre la main d'un homme sur le point de monter sur l'échafaud... surtout revenez-nous vite. Si jamais vous êtes en retard à cause d'ennuis dans les montagnes, ne comptez pas sur la police pour envoyer une patrouille de secours. On va juste annoncer que vous allez bien et que vous reviendrez un jour. »

Faille avoua que c'était là le plus grand compliment qu'il ait jamais reçu.

D'autre avant lui ont trouvé la mort dans cette quête, au pied de la cascade, dans le tumulte du courant, dans la splendeur hostile des Territoires du Nord Ouest.

Mais ni les chutes imposantes, ni la solitude, n'ébranlent la détermination d'Albert Faille. Il avait une étonnante capacité à naviguer les fleuves et un sens infaillible pour négocier les rapides.

Bien qu'étant un solitaire invétéré, il n'était nullement excentrique, ni irascible. Il aura, en effet, passé beaucoup de temps dans sa recherche infructueuse, mais c'était surtout son amour de la cascade et des rapides qui étaient son obsession, plutôt que l'or lui-même.

Les hommes qui l'ont connu et qui ont vécu la même vie qu'Albert Faille, ont tous été impressionnés par la qualité de son caractère, son tempérament et ses capacités.

Par-dessus tout, le vaudois possédait un sang-froid hors du commun, qui lui permettait de ne jamais céder à la panique, même dans les situations les plus désespérées, quand, à plusieurs reprises, il frôla la mort.

Alors, il répare son bateau tout crevassé par les intempéries de l'hiver : la neige, le dégel, la pluie... Il enfonce une sorte d'étoupe dans les jointures et les enduits de graisse. Puis, il coule sa barque pendant quelques jours pour rendre la coque étanche en faisant gonfler le bois.

Il va vivre seul dans ce monde sauvage où il arrivera toujours à survivre, malgré de nombreuses chutes qui lui laisseront de graves séquelles au dos. Faille ne se sert pas de cartes. Il les a dans sa tête, à sa façon ! Il est vrai qu'il avait déjà acquis une connaissance personnelle très détaillée de la région bien avant que la moindre carte ne fut dressée.

Une fois, son bateau fit naufrage dans le canyon après avoir percuté la falaise.

Il s'en est sorti avec les reins brisés et dut rester une semaine, seul, accroché au rocher, sans pouvoir bouger. Un hélicoptère transportant des prospecteurs du gouvernement canadien vint par chance le sortir de ce mauvais pas. Depuis, il ne peut pas se tenir droit. Il marche en équerre, le nez à la hauteur des genoux. Lorsqu'il s'arrête, il se redresse à l'aide de ses deux bras qui décrivent alors un large mouvement de moulinet arrière. A la suite de cet accident, il est resté bloqué sur la chute tout un hiver. Il a pu subsister grâce à du gibier qu'il avait tué au début de l'hivernage et qu'il a conservé dans une cache. En hiver, le Canada tout entier n'est qu'un immense terrain frigorifique. Malgré cette longue période d'isolement, à son retour, le Vaudois n'avait rien perdu ni de son excellent équilibre mental, ni de sa bonne humeur.

Une autre fois, un de ses amis ne le voyant pas revenir, au printemps, d'un voyage entrepris l'été précédent, part à sa recherche et le trouve agonisant, atteint du scorbut, sous un abri devant lequel gisent neuf loups qu'il a tués pour se défendre.

Malgré ces aventures et des dizaines d'autres aussi dramatiques, à 73 ans il tentera une fois de plus de remonter seul le cours d'eau impétueux pour découvrir son légendaire filon d'or.

Il a monté son abri au bout du chemin de portage long de 1,5 km dont il est le seul usager.

Par endroits, il a même aménagé des marches d'escalier très hautes en rondins.

Il monte ses charges tout seul, très lentement, en faisant de nombreux arrêts, sans considération d'horaire.

p. 274

Chaque marche demande un rude effort. Ensuite, c'est un sol spongieux, humide, fait de glaise glissante. Il faut franchir plusieurs ravins escarpés. Pour éviter une fatigue supplémentaire, il dépose son moteur hors-bord de 3.5 CV juste au-dessus des chutes et va chercher, trois cents mètres plus haut, son bateau qu'il ramène à la rame, malgré le danger d'être entraîné vers la cascade. Faille manœuvre avec un seul aviron ce canot long de sept mètres, avec aisance, n'éprouvant aucune crainte alors qu'il navigue à dix mètres des chutes.

Nuit et jour, il a toujours ses deux fusils à portée de la main ; un 303 et un 22 à la crosse et au canon sciés.

L'été, il ne monte jamais sans emporter ce qu'il faut pour hiverner. Il s'est fait prendre deux fois par un hiver précoce.

Ce vieil Helvète a une énergie et une force exceptionnelles !

C'est lui qui, en 1932, avait retrouvé les restes carbonisés du prospecteur Phil Powers, et c'est encore lui qui avait découvert, complètement écrasé, le canot en aluminium des trois suisses qui s'étaient noyés, ainsi que le cadavre de l'un d'entre eux 30 kilomètres en aval.

D'autres avant lui ont trouvé la mort dans cette quête, au pied des chutes, dans le tumulte du courant, dans la splendeur hostile de cette région des TNO.

Le périple dure des semaines mais ni les chutes imposantes, ni la solitude, n'ébranlent sa détermination.

Lors des tentatives précédentes, il a dû rebrousser chemin aux premiers signes de l'automne ou survivre pendant l'hiver. On peut sentir son effort lorsqu'il portait le matériel considérable de sa chaloupe par le chemin le long de la falaise ainsi que le bois pour construire de ses mains un autre bateau au sommet des chutes.

Albert Faille décédera tranquillement au début de 1973, à l'âge de 86 ans.

On dit qu'il continue à sillonner les eaux de la « *Virginia Fall* » avec sa barge en bois !

Les tentatives de retrouver l'or perdu de la cascade ont toutes échoué !

Mais cet échec a réussi de tellement d'autres façons que, si la vie pouvait être remplie de ces défaites, elle serait une victoire complète !

Il y a bien des manières de ne pas réussir.

Mais la plus sûre est de ne jamais prendre de risques, car si vous fermez la porte à toutes les erreurs, la vérité restera dehors.

p. 278

A ce jour, on ne sait toujours pas qui est responsable des décapitations et des disparitions. Les théories abondent sur ce qui pourrait être des meurtres, englobant tout, du rationnel à l'extravagant.

Certains, comme les autochtones, disent que les chutes sont maudites, car elles abritent des spectres et des démons ayant des forces surnaturelles. D'autres pensent que les décès sont dus aux fantômes des guerriers des montagnes, les « *Nahas* », ressuscités d'entre les morts avec leur penchant pour les décapitations afin de chasser l'homme blanc.

La région est riche en folklore et mystères. Les « *Nahas* » se seraient sédentarisés près des chutes à une époque reculée avant de disparaître mystérieusement. Aucune trace de cette tribu n'a pu être trouvée, ils ont soudainement et inexplicablement disparu de la surface de la terre sans que l'on sache ce qui leur est arrivé.

Il y a 10.000 ans, ils étaient nomades et occupaient différentes parties des montagnes et des vallées selon la saison.

Adeptes du pillage, ils sortaient de la vallée pour attaquer les tribus « *Dénés* » si bien que ces dernières décidèrent d'en finir une fois pour toutes en menant une expédition punitive dans les territoires d'en haut. Mais, arrivés sur le campement des « *Naha* », ils découvrirent avec surprise que les tipis étaient vides près du feu de camp et qu'il n'y avait plus personne dans les parages.

Ces guerriers féroces portaient des masques et des armures, ils étaient connus pour décapiter leurs victimes.

Plus grands que les hommes normaux, ils savaient manier des armes étranges et puissantes que personne n'avait vues auparavant. Ils habitaient dans les montagnes et ne toléraient aucun étranger sur leur territoire.

Ce peuple vénérait un géant qui selon eux gardait la région et les protégeait. Leur chef était une femme blanche redoutable.

Dans certaines versions de l'histoire, les « *Naha* » ont été traqués et tués ; dans d'autres, ces guerriers se sont purement et simplement volatilisés.

On a récemment découvert des similitudes surprenantes dans la légende de la tribu perdue, entre les « *Naha* » et les « *Navajos* » du sud-ouest américain. Ces deux tribus peuvent, en effet, converser assez librement entre elles.

Les « *Navajos* » seraient-ils les descendants de leurs ennemis d'il y a longtemps ?

La tribu Naha reste l'un des nombreux mystères de la région. Aujourd'hui, la légende de ce peuple indien ne demeure vive que dans la mémoire de quelques anciens.

L'histoire géologique de la région est unique, car elle n'a jamais été touchée par les glaces et a donc évolué différemment, entourée de falaises qui s'élèvent jusqu'à 1500 mètres au-dessus de la cascade. Gouffres, grottes et rivières souterraines témoignent d'une topographie karstique évidente.

C'était comme un jardin d'Eden où les « *Naha* » vivaient depuis des millénaires. C'est comme ça qu'ils sont devenus une grande tribu.

Il est difficile de dire ce qui se cache derrière ces mystères.

C'est un lieu inhospitalier, d'un froid extrême, rempli de grottes, de ravins, de rochers déchiquetés et de bêtes voraces comme les grizzlis. La région reste en grande partie inexplorée et il y a de très grandes portions qui n'ont jamais été correctement cartographiées.

Certains croient qu'un monde perdu abritant des espèces inconnues se trouve ici.

Au cours de la ruée vers l'or de 1898, la région des TNO se trouva sur le chemin des prospecteurs en route vers le Yukon. Au passage, ils bouleversèrent collines et ruisseaux en quête de leur fortune, profanant sites sacrés et cimetières indiens. Courroucés, ces derniers se dressèrent contre les envahisseurs.

Ainsi naquit la légende que tout homme blanc qui osait s'aventurer en territoire indien périssait souvent d'horrible manière. Chacun représentait une mort violente et, fait étrange, inexplicable. Les armes trouvées près des cadavres étaient une nouvelle énigme.

Elles n'appartenaient jamais aux victimes, mais avaient servi dans un crime distinct. Chaque prospecteur assassiné l'ayant été avec l'arme du mort précédent.

En 1945, quand un mineur a été trouvé dans son sac de couchage... la tête manquante et qu'aucun des crânes perdus dans ces meurtres n'ayant été récupéré, des explications ont été demandées aux autorités.

Certains pensaient à un trappeur fou ou à un ermite. Mais, il est difficile de croire que la même personne tuait des gens pendant plus de quarante ans.

Tous ces assassinats prouvent pourtant qu'un ou plusieurs meurtriers déterminés ont bien sévi pendant des années dans la région des chutes. Ces morts mystérieuses ne sont pas les seules bizarreries du coin.

D'autres événements étranges s'ajoutent au mystère. Les légendes locales signalent que la région est infestée de mauvais esprits et que les cadavres sans tête seraient dus à un gros monstre poilu ressemblant à un humanoïde bipède.

Certains ont dit que la vallée était pleine d'or et certains ont dit que c'était bouillant comme l'enfer à cause des sources d'eau chaudes. Mais pour les indiens, ça reste la maison des démons !

Et s'il s'agissait d'un « monde perdu », un refuge pour les survivants des premiers temps qui auraient trouvé ici un havre propice leur permettant de survivre plus longtemps que les autres espèces ?

Peut-être sont-ils toujours là ? Il est difficile de dire ce qui se cache derrière ces mystères. La région étant tellement isolée qu'à part certains aventureux chevronnés, personne n'y a jamais mis les pieds.

C'est une immense zone qui n'a pas encore révélé tous ses secrets !

Les scientifiques de l'Université McGill de Montréal ont avancé une autre hypothèse : les populations originelles qui vivaient dans les cavernes des falaises entourant les chutes auraient pu être décimées par une épidémie de méningite due à un type virulent de staphylocoque.

Ce bacille peut demeurer à l'état latent pendant un temps considérable, et le moindre réchauffement de l'atmosphère peut le réanimer.

Or tous les hommes blancs qui se sont approchés des chutes ont à un moment ou à un autre séjourné dans ces cavernes.

Le staphylocoque aurait dès lors eu raison des explorateurs dès que ceux-ci allumaient un feu pour cuisiner ou se réchauffer.

Un seul homme est toujours revenu vivant de la cascade pendant quarante ans : Albert Faille !

Mais il ne s'est jamais établi dans ces grottes, il a toujours séjourné sur son radeau qu'il avait aménagé pour y vivre.

Faille ne trouvera jamais le filon d'or tant convoité, il meurt seul, dans sa *"cabin"* de Fort Simpson, le jour de l'an 1974 sans avoir atteint son but.

Plus de cinquante personnes, dont quatre suisses, sont décédées de mort violente là-haut, sur une période de quarante ans, ce qui constitue la plus grande énigme criminelle jamais résolue en Amérique du Nord.

Seul le Suisse Albert Faille a fait plus d'une trentaine de séjours à la cascade et en est toujours revenu indemne.

Si un jour vous montez là-haut jusqu'à la cascade maudite, avec des questions sans réponses plein la tête... faites attention à ne pas perdre la vôtre !

TABLE DES MATIERES

USA

1 – Introduction .... p. 9

2 – GALLATIN 15

3 – VIOGET 33

4 – SUTTER 57

5 – LIEB 141

6 – WIRZ 153

7 – LONG 173

8 – Medal of Honor 177

CANADA

9 – RINDISBACHER 191

10 – FAHRNI 199

11 – T.N.O 215

12 – Cascade maudite 235

13 – FAILLE 253

Table des matières 277

Bibliographie 281

BIBLIOGRAPHIE

T. Aitken : « *Albert Gallatin* » - *Early America's Swiss-born Statesman* » Vintage Press, New York, 1985.

R. Walters : *"Albert Gallatin"* Chelsea House, New York, 1983.

H. Adams : *"Life of Albert Gallatin"* Online edition, 1879.

T. Thorne : « *French and Indians on the Lower Missouri* », Columbia University of Missouri Press, 1996.

Moulton : *"The Journals of the Lewis and Clark Expedition"* University of Nebraska Press.

T. Schmidt : *"The Saga of Lewis and Clark"* DK Tehabi Books, New York, 1999.

P. Limerick : « *John Sutter and a Wider West* », K. Owens, University of Nebraska Press, 1994.

L. Hurtado : *"J.A. Sutter"* University of Oklahoma Press, 2006

A.John : « *The diary of Johann August Sutter* » Grabhorn Press, San Francisco 1932.

M.E. Wheeler : *"A. Sutter, a California Pioneer"* Uni versity of California, 1925

Bancroft Library of the University of California, Berkelery.

H. Schwartz : "Fort Ross, California : Imperial Russian Outpost on America's Western Frontier", Journal of the West, 1979.

E. Hassig : "The Russian Settlement at Ross", CHSQ, 1933.

P. Conmy : "General John Sutter and the Mormons", Grizzly Bear, 1939.

K. Owens : "The Mormons and the American Frontier", A. Clark Company, 2004.

C.Mc Glashen : *"History of the Donner Party"*, Stanford University Press, 1947.

J. King : *"Winter of Entrapment : A New Look of the Donner Party"*, K&K Publications, Lafayette California, 1998.

J. Zollinger : *"Sutter : The Man and his Empire"*, Oxford University Press, New York, 1939.

B. Cendrars : *"Sutter's Gold"*, William Heinemann Ltd. 1926.

C. Black : *"Railroad Pathfinder, the Life of Edward Berthoud"*, Colorado Press, 1988.

C. Neal : *"Valor across the Lone Star"*, Texas State Historical Association, Austin, 2002.

B. O'Neal : *"Fighting Men of the Indian War"*, Barber Wire Press, Oklahoma, 1991.

p. 302

www.ingramcontent.com/pod-product-compliance
Lightning Source LLC
Chambersburg PA
CBHW050553170426
43201CB00011B/1675